Spotlight on FRENCH

Editor Bryan Howson
Tutor in French, the Language Teaching Centre, University of York

Spotlight on FRENCH

Life and language in France today

Pan Books London and Sydney
in association with **Heinemann Educational Books**

First published 1981 by Pan Books Ltd
Cavaye Place, London SW10 9PG
in association with Heinemann Educational Books Ltd
ISBN 0 330 26469 9
© Bryan Howson 1981
Phototypeset by Input Typesetting Ltd, London SW19 8DR
Printed by Richard Clay (The Chaucer Press) Ltd, Bungay, Suffolk

Contents

Introduction

This book is designed to provide a wide range of reading material for those who have reached 'O' level or equivalent standard in French and who wish to practise and extend their understanding of the written language. It is hoped that extracts from provincial newspapers, advertisements, national journals and magazines, modern classics will inform, entertain and amuse the reader and make the practice of reading in French an enjoyable pastime.

The passages vary in length but none is so long that it cannot be assimilated at one sitting. Although the texts are grouped together in chapters, do not read them through in a systematic way from beginning to end but dip into the book from time to time, selecting a passage and concentrating on the chosen piece for a few minutes. Some key words are translated but rather than consulting a dictionary try to work out the meaning of individual words or phrases from the general context of the passage. Intelligent guesswork is a valuable and reliable aid and often a careful second reading will bring the meaning home.

Here are some suggestions on how to exploit the extracts for classroom use:

- Reading practice
- Gist comprehension: listening for key words to get the general sense of the text. The student can then try to render the gist of it orally
- Oral and/or written translation
- Dictation, either unseen or after reading and translating the text
- Short oral and/or written summary of the passages
- Essay writing, using the topic of a passage as a theme, and the text as a source of vocabulary
- Composition, using an item (for example an advertisement) as a model for the production of a similar one on a different subject

- Answering questions about the text. This could be an oral activity or the students could answer a set of written questions after listening to a passage read by the teacher or by another student.

Even cartoons could be exploited in this way, by discussing or asking questions about the characters portrayed, their clothing, physical appearance etc. For example, here are some questions which could be asked about the cartoon on p. 19: *Que pensez-vous de l'attitude du jeune homme? Croyez-vous que la fille est plutôt surprise ou enfachée par l'attitude de son petit ami?* The conversation could then be carried on at a more personal level: *Est-ce-que les mariages à l'essai sont une bonne idée? Pourquoi? Aimeriez-vous vous marier un de ces jours?*

Different items may suggest a particular way of exploitation. For variety, and in order to maintain interest, it may be advisable to change the way in which the extracts are exploited. In class, the teacher should vary the emphasis and the time spent on the different extracts according to their nature or the degree of interest they arouse in the students.

It is hoped that the extracts chosen will stimulate you and encourage you to continue reading newspapers, magazines and novels in French.

Bryan Howson

Acknowledgements The publishers wish to thank all those who have provided copyright material. In some cases it has not been possible to trace the owner of the copyright and the publishers would be grateful to receive any relevant information. The publishers would like to thank all the sources acknowledged in the book for the use of copyright material and also: The French National Railways for an advertisement and extract from one of their brochures; Hoverlloyd for an advertisement; Scoop for articles from the magazine *Elle*; Association touristique départementale Haute-Savoie, Mont-Blanc for their advertisement; Académie de Danse Venot for an advertisement; Marius for cartoons by Gondot and Giraud; Agence de Presse A.P.E.I. for a cartoon by Piem; 'Les Vignobles de Bordeaux' for an advertisement for their wines; Comité National Contre le Tabagisme for an extract from *Tabac et Santé*; Bayard Presse for two extracts from *Record Dossier*; Harriet Hubbard Ayer for their advertisement; Danielle Roches for an advertisement for one of their beauty products; Revill for an advertisement for their marriage counselling service; Institut International du Coton for their advertisement; Comité français pour la campagne mondiale contre la faim for their advertisement.

1 Heureux celui qui voyage!

Pour voyager tranquille, faites comme moi : adoptez la ceinture antivol **TREKKING**®

C'est un cadeau super pour les jeunes de 7 à 77 ans!

Lombard, after Hergé

CHÈQUES DE VOYAGE, BILLETS

CARTE DE CRÉDIT

RÉGLAGE DE LONGUEUR

CLÉS, MONNAIE

PORTEFEUILLE, PASSEPORT, STYLO

Indispensable en vacances, voyage.
Protège vos papiers contre la perte et le vol.
Existe en 2 tailles et 4 coloris.

Advertisement for a money belt

Gagnez du temps: voyagez de nuit en voiture-lit.

Partir tard dans la soirée. Arriver tôt le matin et gagner ainsi toute une journée. Goûter tout le confort d'un véritable hôtel roulant: lits confortables en compartiments d'une, deux ou trois personnes. Tout ce qu'il faut pour faire sa toilette. Et, le matin, le petit déjeuner servi dans le compartiment. Ces possibilités vous sont offertes sur les principales relations françaises et internationales. Les voitures-lits TEN amènent à destination dans de nombreuses villes européennes tant les hommes d'affaires que les touristes. Rapidement. Confortablement. De nuit. Tous autres renseignements pourront vous être donnés dans les gares et les Agences de voyages.

Gagnez du temps: voyagez de nuit en voiture-lit.

Cri de chœur?

Un groupe d'habitants d'une petite bourgade se rendent en 0
délégation auprès du chef de gare:
– La population, expliquent-ils, voudrait que le rapide qui passe le 0
dimanche à 11 h 15 du matin cesse de siffler en traversant la gare.
– Et pourquoi donc? demande le chef de gare, interloqué.
– Parce que c'est l'heure de la messe et que le curé se règle sur le
passage du train pour terminer le sermon au moment où il entend le
sifflet. Et, dimanche dernier, le rapide est passé avec trois quarts
d'heure de retard. . .

Lecture pour tous

bourgade   village
le rapide   the express train

Advertisement for hovercraft travel
(NB price refers to a particular year and
  season and for current prices application
  should be made to a travel agent.)
car coach

GUIDE PRATIQUE DU VOYAGEUR SNCF

Tous les renseignements vous sont donnés dans les gares ou les agences de voyages, soit au guichet, soit par téléphone.

Consultez les «affiches-horaires» ou choisissez la «fiches-horaire» correspondant à la relation que vous recherchez. Les «fiches-horaires» sont classées par ordre alphabétique, selon la gare de destination, dans des casiers spéciaux mis à votre disposition dans les grandes gares.

Dans les principales gares, vous pouvez aussi vous adresser au bureau «Informations».

Il vous est possible également de consulter l'indicateur officiel de la S.N.C.F. Si vous avez l'intention de réserver vos places, pensez bien à noter le numéro du train et l'heure exacte de son départ.

POUR VOUS ÉVITER D'ATTENDRE AU GUICHET,

◊ surtout en période d'affluence, achetez votre billet à l'avance. Au moment de
◊ votre départ, vous accéderez à votre train sans perdre de temps.

Sur les grandes lignes, votre billet est utilisable n'importe quel jour pendant une période de deux mois, vous n'avez plus besoin d'indiquer à l'avance votre jour de départ

POUR ÉVITER DE PAYER PLUS CHER

L'accès des gares grandes lignes est libre.

Cette situation comporte pour vous de nombreux avantages. Mais bien entendu cet accès libre est réservé aux voyageurs

munis de billets **valables et compostés le** ◊ **jour du départ.**

N'oubliez donc pas d'acheter votre billet et de le composter avant de passer sur les quais, sinon la régularisation dans le train vous coûtera plus cher.

POUR ÊTRE SÛR D'AVOIR UNE PLACE DANS LE TRAIN DE VOTRE CHOIX,

réservez votre place, assise ou couchée, le plus longtemps possible à l'avance, dans la limite des délais indiqués, surtout si vous partez en période d'affluence.

La réservation électronique s'applique aussi aux voitures-lits et aux Trains Autos Couchettes T.A.C.

Elle peut également:
● pour certains trains «Corail» : réserver votre place dans la voiture assurant la restauration;
● pour d'autres trains: réserver votre place dans la voiture restaurant.

POUR TROUVER VOS BAGAGES A DESTINATION DÈS VOTRE ARRIVÉE,

pensez à les expédier plusieurs jours à l'avance.

POUR RÉGLER,

dans les gares, vous pouvez remettre un chèque postal ou bancaire, au-delà d'une somme minimum.

Les grandes gares acceptent également les règlements au moyen de la «Carte Bleue».

Extract from a SNCF railway guide

en période d'affluence in the rush hour
accéder to have access to
composter to stamp a ticket (with time and date of travel etc)

LES ACCIDENTS DE LA ROUTE

Une belle route d'été serpente entre des champs de blé et des prairies plantées à flanc de coteau. L'herbe du fossé est toute luisante de la chaleur du jour, et les coquelicots jettent leur rouge sang dans les derniers rayons du soleil. La nuit approche, il faut faire vite. La voiture accélère, coupe un, puis deux virages. Une autre voiture débouche en face. Les pneus crissent, les tôles s'écrasent, le silence tombe, court mais interminable. Le hasard, la malchance... les choses de la vie.

Non, dit le docteur André Legrand, médecin et juriste, chargé de cours à l'Institut de Médecine Légale à Lille. **La fatalité, c'est trop vite dit.** Dans la plupart des cas, il y a un conducteur à l'origine de l'accident, un responsable de ce délit routier. On aura beau raffiner la sécurité des voitures, multiplier les règlements, construire des chaussées impeccables, il restera un petit bonhomme derrière son volant, qui manœuvre plus ou moins bien son bolide, et dont les réactions restent imprévisibles.

Quelle est sa réaction lorsqu'il s'est rendu coupable d'accident? Pour le savoir, le Dr Legrand a étudié les 5,000 rapports des gendarmes de la région de Tours en 1966. Voici le coupable pris «à chaud», sans avoir eu le temps de construire son système de défense. Qu'il soit manœuvre ou P.-D.G., il affirme d'abord qu'il n'allait pas vite. Puis il se fait agressif, et accuse sa victime de n'avoir pas exécuté la manœuvre élémentaire qu'il attendait d'elle. Il insinue ensuite que le gendarme qui l'interroge n'est pas du genre à inventer la poudre. Puis il se lance dans des affirmations parfaitement invérifiables, claironne qu'il est un excellent conducteur, et, quand il s'aperçoit qu'il s'empêtre dans de multiples contradictions, il ne se souvient tout à coup plus de rien...

Quand on demande au Dr. Legrand de dresser une sorte de portrait-robot du délinquant routier, il met en avant le goût du risque, la vanité, et le mépris des autres. Goût du risque qui conduit le conducteur à lancer une suite de défis, à tenter la chance, comme on jouait à la roulette russe en engageant une seule balle dans le barillet d'un revolver et en l'appuyant contre sa tempe. Vanité, car on se considère comme le plus fort, le plus rapide, celui qui sera capable de la performance exceptionnelle. Le monde vous appartient. On est seul sur terre à tenir un volant. Les autres ont disparu, jusqu'au moment où on

les rencontre tragiquement.
Mépris des autres, donc,
d'autant plus facile qu'on ne
connait pas, qu'on n'imagine
même pas celui qu'on va
écraser. Si les chauffards ◊
pouvaient connaître les visages
de leurs victimes, combien
d'accidents seraient évités.
Mais nous sommes ici devant un
des seuls délits où le
délinquant ne sait rien de sa
future victime.

Jean Mazeno, **La Vie**

coteau   hill
déboucher   to emerge
tôles   bodywork of cars
délit   offence
bolide   motor (sl.)
s'empêtrer   become tangled
défis   challenges
chauffards   careless drivers

Advertisement for discount offer on Minis

Un métier périlleux!

Par un bel après-midi de ce printemps, un cantonnier travaillait ◊ avec une ardeur que je qualifierai de peu commune au nettoyage de ◊ l'accotement d'une petite route intérieure, quand survint une voiture dont l'immatriculation était étrangère à notre région. Sa vitesse était réduite car sans aucun doute, son pilote devait rêvasser sur ◊ les splendeurs de notre belle Provence. Ce n'est que trop tard qu'il aperçut notre cantonnier et le renversa dans le fossé. Bouleversé, le conducteur passa la tête par la portière et cria en direction du cantonnier.

«Alors, quoi, faites attention!
Et le cantonnier fortement choqué, de dire avec effroi: ◊
–Pourquoi, vous allez faire marche arrière?»

Le Méridional

un cantonnier roadworker
l'accotement roadside
rêvasser to daydream
effroi fear

Au feu rouge

Un jour où, conduisant ma voiture, je tardais une seconde à démarrer au feu vert, pendant que nos patients concitoyens dé- ◊ chainaient sans délai leurs avertisseurs dans mon dos, je me suis souvenu soudain d'une autre aventure, survenue dans les mêmes circonstances. Une motocyclette conduite par un petit homme sec, portant lorgnons et pantalons de golf, m'avait doublé et s'était ◊ installée devant moi, au feu rouge. En stoppant, le petit homme ◊ avait calé son moteur et s'évertuait en vain à lui redonner souffle.
Au feu vert, je lui demandai, avec mon habituelle politesse, de ranger sa motocyclette pour que je puisse passer. Le petit homme s'énervait encore sur son moteur poussif. Il me répondit donc, selon les règles de la courtoisie parisienne, d'aller me rhabiller. J'insistai, toujours poli, mais avec une légère nuance d'impatience

dans la voix. On me fit savoir aussitôt que, de toute manière, on
◊ m'emmenait à pied et à cheval. Pendant ce temps, quelques avertisseurs commençaient, derrière moi, de se faire entendre. Avec
plus de fermeté, je priai mon interlocuteur d'être poli et de con-
◊ sidérer qu'il entravait la circulation. L'irascible personage, exaspéré sans doute par la mauvaise volonté, devenue évidente, de
son moteur, m'informa que si je désirais ce qu'il appelait une ◊
dérouillée, il me l'offrait de grand cœur. Tant de cynisme me
remplit d'une bonne fureur et je sortis de ma voiture dans l'inten-
◊ tion de frotter les oreilles de ce mal embouché. Je ne pense pas
être lâche (mais que ne pense-t-on pas!), je dépassais d'une tête
mon adversaire, mes muscles m'ont toujours bien servi. Je crois
encore maintenant que la dérouillée aurait été reçue plutôt
qu'offerte. Mais j'étais à peine sur la chaussée que, de la foule
qui commençait à s'assembler, un homme sortit, se précipita sur
moi, vint m'assurer que j'étais le dernier des derniers et qu'il ne
me permettrait pas de frapper un homme qui avait une motocyclette entre les jambes et s'en trouvait, par conséquent, désavan-
tagé. Je fis face à ce mousquetaire et, en vérité, ne le vis mème
pas. A peine, en effet, avais-je le tête tournée que, presque en
même temps, j'entendis la motocyclette pétarader de nouveau et ◊
je reçus un coup violent sur l'oreille. Avant que j'aie eu le temps
d'enregistrer ce qui s'était passé, la motocyclette s'éloigna. É-
◊ tourdi, je marchai machinalement vers d'Artagnan quand, au
même moment, un concert exaspéré d'avertisseurs s'éleva de la
file, devenue considérable, des véhicules. Le feu vert revenait.
◊ Alors, encore un peu égaré, au lieu de secouer l'imbécile qui
m'avait interpellé, je retournai docilement vers ma voiture et je
démarrai, pendant qu'à mon passage l'imbécile me saluait d'un
«pauvre type» dont je me souviens encore.

Albert Camus, **La Chute**, Editions Gallimard

déchainer   to unleash
doubler   to overtake
caler   to stall
emmener à pied et à cheval   to tell
  someone to go to blazes
entraver   to hold up
appeler une dérouillée   to give a
  thrashing
frotter   to box (ears)
pétarader   to splutter (engine)
étourdi   stunned
égaré   distraught

Cinq astuces pour femmes débrouillardes. . . ◊
à faire lire aux messieurs aussi!

La femme au volant qui met son clignotant à gauche pour tourner à droite fait désormais partie de la légende. Ouf!. . . on commence à admettre que nous ne conduisons pas plus mal que ces messieurs, certains vont même jusqu'à avancer timidement que nous provoquons moins d'accidents. Personnellement, je n'ai pas eu trop de peine à m'imposer dans le monde de la compétition. Par contre je n'ai jamais pu éviter les sourires de mes collègues pilotes qui me voyaient plongée sous le capot. J'avoue ne pas être experte en mécanique, mais quelques petits trucs simples m'ont permis de me faire prendre au sérieux en cas ◊ de pépin.

1. Lisez attentivement la notice d'entretien de votre voiture. Elle vous donnera des notions de base qui vous éviteront de confondre le niveau du liquide de freins avec celui du lave-glaces.

2. Ayez toujours un bas nylon dans votre boîte à gants: il remplacera efficacement une courroie cassée.

3. La rupture d'une durite (tuyau) d'huile ou d'eau est facilement réparable. Un bout de bois taillé sur mesure au canif stoppera la fuite.

4. Si vous n'arrivez pas à démarrer malgré une batterie et ◊ un démarreur en ordre, il y a de fortes chances que ce soit à cause de vos vis platinées. Vous ◊ pouvez éliminer le dépot qui empêche leur fonctionnement avec une lime à ongles. ◊

5. Si votre moteur s'arrête après passage dans une grande flaque d'eau, il suffit souvent de sécher avec un mouchoir l'intérieur du delco (pas besoin ◊ d'outil pour l'ouvrir, il n'y a que 2 attaches à défaire).

Christine Beckers, **Azimut**

astuces tricks	*démarrer* to start a car
débrouillardes resourceful	*vis platinées* points
clignotant indicator	*lime* file
pépin misfortune	*delco* distributor

La chevalerie

Au début de «l'autre» guerre, les avions ne servaient qu'à observer les lignes ennemies. Plusieurs «Vieilles Tiges» m'ont raconté qu'à ◊ cette époque, loin de se menacer quand ils se rencontraient sur les routes du ciel, aviateurs français et allemands se saluaient fort courtoisement, conscients qu'ils étaient d'appartenir à une même chevalerie.

Cette aimable coutume dura jusqu'au moment où quelqu'un découvrit qu'après tout, un avion pouvait fort bien emporter une ◊ mitrailleuse. . . A part quelques exceptions connues, **nos voitures ne** sont pas encore équipées d'armes automatiques. Mais pourtant. la courtoisie qui imprégnait aussi, dit-on, les rapports entre les automobilistes de jadis, a fait place à la loi de la jungle, ou bien, dans la meilleure hypothèse, à l'indifférence.

Bien sûr, on prêtera parfois assistance à un accidenté, ou on aidera à monter sa roue de secours une conductrice en difficulté, surtout si elle est jeune et jolie. Mais cela ne rendra que plus féroce les coups de phare dans les yeux, plus âpre la lutte pour une place de stationnement ou une priorité de passage. On entendra plus souvent le son des avertisseurs que la formule: «après-vous», «je n'en ferai rien». La chevalerie constituait une manière de vivre enseignée à une élite. Or, élite signifie d'abord petit nombre, et les automobilistes sont nombreux. De plus, la perfection morale des chevaliers n'est plus au programme des auto-écoles.

On peut le regretter car c'est par là que tout aurait dû commencer.

Jean Magnet, **Nice-Matin**

Vieilles Tiges veteran pilots
mitrailleuse machine-gun
de jadis of yore
phare headlight

— Je sais que j'avais promis de t'enlever en Cadillac... mais au prix où est l'essence !

Caillé

Petits vélos de la Rochelle

Près de trois mois après leur mise en circulation, que sont devenus les fameux «petits vélos de La Rochelle?

Apparemment, tout va bien. Depuis ce matin, je circule dans la vieille ville, et les étranges petites machines jaunes municipales évoluent allègrement dans une circulation dense. Beaucoup de jeunes en selle. Quelques personnes «d'âge mûr» aussi. L'une d'elles – un monsieur d'une cinquantaine d'années – me dit: «*Je trouve ce moyen de locomotion formidable. J'utilise un de ces engins au moins une fois par jour. Je prends un vélo ici, je l'abandonne là. C'est excellent pour la santé et c'est pratique pour faire ses courses.*»

Née d'une observation du maire — les caddies utilisés dans les aéroports et les grandes surfaces — l'idée du vélo-caddie a rapidement enthousiasmé une commission extra-municipale de douze membres. Sous l'impulsion de deux conseillers, MM. Dubosc, ingénieur des Ponts, et Boucher, mécanicien à la SNCF, elle a conçu l'engin idoine et décidé que son utilisation serait entièrement libre. Et le 24 août dernier, deux cent cinquante ◊ bicyclettes frappées aux armes de la ville prenaient place dans vingt parcs de stationnement.

Lucien Durand, **La Vie**

Depuis, ils roulent. . . Mais combien sont encore utilisables?

— *Nous ne prétendons pas que l'operation soit une réussite à 100%, me dit M. Boucher. Mais on a donné ici et là des chiffres fantaisistes. Voici exactement où nous en sommes: cinq vélos ont définitivement disparu, volés vraisemblablement. Quatre autres ont été démontés. On* ◊ *en a retrouvé la carcasse. Une vintaine ne reviennent pas régulièrement sur leur support après vingt heures, comme le règlement le précise. C'est le fait d'utilisateurs, peu civiques, qui les garent à leur domicile pour être sûrs de pouvoir s'en servir le lendemain. Enfin, nous comptons de trente à cinquante incidents par jour — bris de chaîne, crevaisons. . .»* ◊

— **Vous doutez de la qualité du matériel?**

— *Exactement. Nous avons conçu un engin trop sophistiqué, pas assez robuste. Nous étudions actuellement un vélo moins fragile.*

— **Car vous comptez poursuivre l'expérience?**

— *Bien sûr. La poursuivre et l'amplifier. Par le nombre des vélos mis à la disposition de la population dès l'an prochain, et par l'extension du périmètre d'utilisation actuellement limité à la vieille ville.*

frappées aux armes   stamped with (or 'bearing') the town's (coat of) arms
démonter   to dismantle
crevaisons   punctures

2 Vacances, sports, loisirs

Les grandes vacances se rêvent en janvier

Nouvelle année : nouveaux projets. C'est en janvier que se rêvent les vacances d'été. En février-mars, il faut planifier, organiser, concrétiser, pour ne pas risquer de déconvenues.

Je reçois l'autre jour un catalogue de club pour cet été. Inscriptions à partir de janvier.

Il est à prévoir qu'en quelques jours août sera bloqué, sans pitié pour les retardataires. Ces délais en amont de la liberté ne cessent de s'allonger, ils me paraissent démesurés. Bientôt il faudra retenir son temps de vivre et de respirer plus d'un an à l'avance. Certaines locations estivales se réservent déjà d'une année sur l'autre.

Que se passera-t-il, comme il en est fortement question, si on raccourcit les grandes vacances scolaires au profit des congés de Noël et de printemps? Le temps d'études sera sans doute mieux équilibré, les sports d'hiver moins embouteillés, mais la majorité des familles qui ne part qu'une fois par an, en été et tous ensemble, n'y trouvera pas forcément son compte.

Je connais la réponse classique: «Partez hors saison. . . juin est exquis. . . septembre délicieux. . . »Et les gosses alors? La période des vacances est une des rares occasions de renouer les fils distendus de la tendresse paternelle, de pouvoir les redécouvrir à plein temps. Une semaine en amoureux pour les parents de temps en temps, mille fois oui, mais rien ne remplace, pour les moins de 15 ans, le bonheur de longues vacances en famille. Il suffit d'évoquer ses propres souvenirs d'enfance pour s'en convaincre.

Christine Collange, **Elle**

déconvenues disappointments
s'allonger to grow longer
estivales summer
raccourcir to shorten
embouteillés congested
gosses kids

◊ Congés plus courts et en famille ...

La crise économique est en train de modifier le comportement ◊ des Français en vacances: ils partiront moins loin, moins longtemps et préféreront souvent leur maison familiale à l'hôtel, révèle un sondage publié hier.

Selon cette enquête réalisée à la demande de la COFIT (Conféderation Française des Industries du Tourisme) 22 pour cent des Français (plus de 6 millions) reconnaissent être contraints cette année de réduire leur budget vacances par rapport à l'an dernier et 26 pour cent réduiront plutôt d'autres postes de leur budget (l'automobile notamment qu'ils ne changeront pas) pour pouvoir partir «normalement» en vacances.

Pour ceux qui préfèrent réduire leur budget vacances. 34 pour cent choisissent d'aller moins loin et 30 pour cent de quitter moins longtemps leur domicile principal. 52 pour cent réduiront leur dépenses sur la place et 10 pour cent seulement optent pour des vacances hors saison.

Par ailleurs, ils ne seront que 19 pour cent cette année (contre 22 pour cent en 1976, date de la précédente enquête COFIT) à partir à l'étranger.

Enfin, 33 pour cent préféreront cette année un séjour dans leur maison familiale ou chez des amis et 29 pour cent le camping-caravaning à l'hôtel (11 pour cent) ou à un voyage ou séjour organisé (7 pour cent).

Le Méridional

congés holidays
comportement behaviour

Advertisement for region of France

CAMPING – CARAVANING
RÈGLEMENT INTÉRIEUR DU CAMP

EAUX USÉES. Il est interdit d'arroser les arbres et arbustes avec des eaux polluées.

W.C. – LAVABOS – DOUCHES. Les campeurs sont priés de laisser les W.C., lavabos et douches aussi propres qui'ils désireront les trouver eux-mêmes en y entrant. Les mères de famille devront, dans le mesure du possible, accompagner aux W.C. leurs jeunes enfants.

LINGE ET VAISSELLE. — Des bacs ont été mis à la disposition des campeurs, ceux-ci voudront bien utiliser les bacs à laver la vaisselle uniquement pour la vaisselle et les bacs à laver le linge uniquement pour le linge.

ANIMAUX. Les animaux de toute nature ne seront admis au Camp que s'ils sont tenus en laisse. En aucun cas, même attachés, ils ne doivent rester au Camp en l'absence de leur maître. En cas d'accident, ou de méfait quelconque provoqué par un animal circulant librement dans le Camp, la responsabilité civile de son maître sera engagée. Des sanctions pourront être prises en cas de récidive.

MALADIES CONTAGIEUSES. Aucun campeur ne peut séjourner au Camp, s'il est atteint d'une maladie contagieuse, il devra être évacué dans les moindres délais.

TENUE. Une bonne tenue est exigée de tous les campeurs. Toute atteinte aux bonnes mœurs, par une tenue indécente, entraînera l'exclusion immédiate du délinquant, sans préjudice de l'action publique possible.

L'usage de la Radio ou d'instruments de musique quelconques est formellement interdit de 22 h. à 8 h. du matin. Les Campeurs devront, dans toute la mesure du possible éviter de faire du bruit.

Extract from a list of campsite regulations

A Bout Portant..
DANIELLE DEBERNARD

26 ans, skieuse. Vient de quitter l'équipe de France de ski, forte de deux médailles olympiques obtenues à Saporo et à Innsbrück.

◊ **— Vous venez de quitter sans tapage l'équipe de France de ski. Pourquoi cette sortie par la petite porte?**

— Officiellement parce que je me suis blessée. Mais peu importe la raison. Je skiais pour mon plaisir. Alors, arrêter comme ça ou autrement n'a pas d'importance. Je n'ai aucun regret. J'ai eu la chance de skier avec de grandes championnes comme Isabelle Mir ou Annie Famose et j'ai vécu de grands moments. Les filles qui sont en équipe de France aujourd' hui ont beaucoup moins de chance.

— Vous restiez une des meilleures skieuses françaises. Alors, pourquoi arrêter?

Georges Renou, **Paris Match**

sans tapage without fuss

— Parce que j'avais envie de vivre autrement, de voir d'autres gens. La vie de skieuse se déroule en circuit fermé. Après quatorze ans de ski dont dix en équipe A, il est normal d'avoir envie de prendre l'air.

— Alors, maintenant, vous admirez vos coupes?

— Non, je les laisse chez maman. Moi, ça m'encombre plus que ça ne m'amuse.

— Est-ce que le ski vous a apporté toutes les joies que vous en attendiez?

— Oh oui. Ça m'a permis de passer une jeunesse comblée. J'ai voyagé beaucoup, j'ai subi les entraînements très durs, les moments de découragement. Mais le bilan géneral est très positif.

— Vous avez atteint le niveau que vous visiez?

— Oui. Quand je suis entrée, il y avait dix filles meilleures que moi. Je me suis fixée pour objectif de les battre. J'ai réussi, je suis contente.

Un jeu brutal et béni des dieux

■ Le rugby est un jeu qui se pratique à quinze de chaque côté, du moins au départ. Plus un arbitre, du moins au départ, aussi. Le terrain est assez rectangulaire dans l'ensemble et le ballon de forme résolument ovale, ce qui lui permet de rebondir plus facilement de travers. Détail primordial et si incontestable que jusqu'à une date récente, en pays cathare, contrée notoirement acquise au rugby, les ballons ronds, sous le prétexte qu'ils rebondissent droit, étaient encore brûlés comme hérétiques.

Jadis et même naguère, dit la chronique, dans certains bastions du noble jeu, les infirmiers diplômés de la ville pouvaient suivre tous les matches gratis. Mais, dit aussi la chronique, rarement jusqu'au bout. Car il ne faut pas oublier que le rugby est un sport violent, parfois dangereux et qui compte déjà des milliers de morts.

Songez par example que du premier match international, il ne reste plus aucun survivant. C'était le 27 mars 1871; l'Ecosse battait l'Angleterre par un essai transformé à rien. Et plus ça ira, moins il y aura de rugbymen qui auront connu les arrières-petits-neveux du génial William Webb Ellis, lequel, en 1823, souvenez-vous, crut avoir
◊ inventé la brouette. Hélas, c'était déjà pris par quelqu'un d'autre et c'est la raison pour laquelle on appela son invention le rugby.

Le principe fondamental du jeu de rugby est simple: sitôt qu'on a le
◊ ballon il faut s'en débarrasser. Il y a deux solutions. La première, qui semble a priori la plus satisfaisante pour l'espirit, c'est de le donner à un partenaire; mais, attention, de toujours le donner derrière. Car le sens de la marche veut qu'on aille de l'avant par les arrières, ce qui permet aux avants de prendre du recul. Imaginez en effet qu'on ait le droit de passer la balle à un partenaire qui court devant vous, eh bien, il l'aurait dans le dos; à moins d'avancer à ◊ reculons, ce qui n'est pas des plus pratique pour faire face à l'adversaire.

Ainsi vous comprenez mieux pourquoi certains spécialistes disent parfois que ce n'est pas celui qui a le ballon qui fait preuve de génie, mais celui qui va l'avoir.

La deuxième solution pour se défaire du ballon consiste à la rendre à l'adversaire, surtout par un de ces grands coups de pied qui l'envoient rouler en touche (le ballon, pas l'adversaire; du moins pas dans le cas qui nous préoccupe) le plus loin possible de votre ligne ⌄ de but. Dès lors, l'adversaire va devoir s'en débarrasser à son tour et lui aussi, il est bien embêté.

Télérama

brouette wheelbarrow
s'en débarrasser to get rid of it
avancer à reculons to run, walk
  backwards
ligne de but goal line

EN UN COUP D'ŒIL

ANGERS ...... 1 MONACO 1
Larvaron (82e)   Trossero (66e)

Spectateurs 3.646
Recette : 105.485 F
Temps : pluie
Terrain : glissant
Arbitre : M. Bigue

● **Match nul parfaitement logique entre deux équipes très près l'une de l'autre samedi. Trossero Victor ouvrit le score au plus fort de la domination... angevine. Larvaron dans les dernières minutes donnant aux Angevins un nul amplement mérité.**

NICE .... 1 LENS 1
Sanchez (12e)   Leclerc (23e)

Spectateurs : 2.513
Recette : 42.033 F
Temps : froid
Terrain : bon
Arbitre : M. Lambert

● **Nice glisse lentement mais sûrement vers la deuxième division dans l'indifférence générale (2.513 spectateurs). Les Niçois ont perdu leur 10e point à domicile après un match terne et devant un adversaire pourtant bien faible lui aussi. De plus Nice à terminé à 10, Morabito ayant été blessé après les deux changements autorisés.**

BORDEAUX .... 0 SOCHAUX 0

Spectateurs : 10.000
Recette : non comm.
Temps : doux
Terrain : glissant
Arbitre : M. Ferrary

● **Un grand homme, le gardien sochalien Rust qui, durant les 20 premières minutes, écœura les Bordelais. Deux erreurs de défense bordelaise auraient pu permettre aux Sochaliens de marquer contre le cours du jeu. La deuxième période fut beaucoup plus heurtée. Bordeaux dominant sans pouvoir marquer. Avertissements à : Posca et Bonnevay (Sochaux), Bracci et Soler (Bordeaux).**

BASTIA .... 1 METZ 0
Ihily (46e)

Spectateurs : 1.500
Recette : 45.000 F
Temps : couvert
Terrain : souple
Arbitre : M. Trebern

● **Bastia a remporté une victoire importante à l'issue d'un match d'une rare médiocrité. En première période Metz domina sans parvenir à marquer. Il suffit d'une seule accélération de Bastia pour que les Corses s'imposent.**

France-Soir

A boire et à manger. . .

Qui se souvient du décret interdisant la vente de boissons alcoolisées à proximité des terrains de sport? A coup sûr, M. Constant, procureur de la République à Quimper. Il a fait dresser procès-verbal au président de l'U.S. Querrien, petit club finisterien de football, qui met du beurre dans ses épinards en versant du vin et de la bière à la buvette du stade.

Le «coupable», M. André Ellion, a préferé quitter son club plutôt que de risquer une récidive qui le priverait de sa fonction de receveur des postes.

Cet incident va ranimer la «guerre des buvettes» dans les clubs modestes auxquels la vente des boissons alcoolisées apportent un ballon. . . d'oxygène.

Le Figaro

buvettes refreshment bars

WIMBLEDON,
le « temple » de la tradition

LONDRES. – Demain lundi, à partir de 14 heures, les meilleurs joueurs de tennis du monde vont retrouver, comme chaque année, l'herbe du « *All England Lawn Tennis and Croquet Club* » pour y disputer « *the tournament* », comment l'appellent les Anglais, en un mot: Wimbledon, le plus grand et le plus prestigieux tournoi qui, depuis quatre ans, possède un maître en la personne de Bjorn Borg.

Wimbledon, c'est le *«temple»* de la tradition, l'un des joyaux de la couronne britannique, au même titre que la Tour de Londres ou Buckingham Palace, un monument de la banlieue ouest de Londres, composé de 18 courts en gazon, ce fameux gazon anglais magnifiquement entretenu par le jardinier en chef, et ses adjoints, pendant cinquante semaines de l'année dans l'attente de *«la quinzaine»*.

UNE «MOQUETTE» VERDOYANTE

«Ici, l'herbe est plus verte», a-t-on écrit un jour à propos des courts de Wimbledon, aussi bien pour caractériser de la «moquette» verdoyante sur laquelle on n'ose à peine marcher, que pour situer l'atmosphère unique au monde régnant dans ce lieu saint.

Wimbledon, c'est non seulement ce court de gazon, mais également un *«monde»* à part, où se côtoient, dans les longues allées qui bordent les aires de jeu, les vieilles dames chapeautées et les écolières en uniforme ou bien encore les gentlemen en costume strict, certains d'entre eux portant une cravate *«vert et violet»*, ce qui signifie qu'ils sont parmi les rares priviligiés à appartenir au *«All England Club»*.

Tout à Wimbledon est tradition, des fraises à la crème à la sacrosainte tasse de thé de 5 heures qui est respectée par tous, quelle que soit l'importance des matches, des ramasseurs de balles remarquablement disciplinés aux arbitres et juges de lignes imperturbables, même en cas de contestation, rarissimes d'ailleurs, tant le respect est de mise de la part des joueurs.

Pour assister à ce spectacle, qui est à l'affiche depuis très exactement 103 ans – seules les deux guerres l'ont interrompu – tous les Britanniques et de nombreux étrangers maintenant sont candidats. Mais s'il est relativament aisé d'obtenir un billet d'entrée général, c'est pratiquement impossible d'acquérir une place pour *«centre court»*, le véritable cœur de l'épreuve.

Les candidats sont en tout cas bien plus nombreux que les élus et le «HEC», après avoir procédé à un tirage au sort, retourne beaucoup plus de chèques qu'il n'en accepte.

Le Méridional

---

adjoints   assistants
se cotoyer   to rub shoulders with
l'épreuve   test, trial

— Je suis obligé de constater que ni votre technique, ni votre fair-play ne s'améliorent miss
Edith !

Giraud

s'améliorer   to improve

ACTION-TENNIS
vous propose sous la direction technique
de Patrice JOURNÉ

«LES STAGES
INTEGRAL TENNIS TRAINING»
Seule méthode de « Full Tennis »

Elle a été mise au point après un an de recherches et d'études aux Etats-Unis, avec les meileurs «coaches». C'est la seule méthode qui donne des résultats rapides et importants.
Débutants : elle leur permet de prendre contact avec tous les coups du tennis.
Joueurs plus confirmés : elle leur permet de découvrir que vitesse et précision du placement des jambes + timing (rythme) du bras aboutissent sans forcer à un tennis efficace.

Stages de 1 H 30 par semaines.
Inscription pour 3 mois, 6 mois, 9 mois.

Pour toute inscription ou informations complémentaires, veuillez appeler :
Mme JOURNÉ le soir de 20 H à 22 H.

Advertisement for tennis coaching

aboutir à   to result in

LA BOULE DU FORTIN

Dimanche 22 juin à 10 h.
CONCOURS À LA PÉTANQUE
OUVERT À TOUS
TIRAGE À 10 h. 30
Choisie 2x2, 3 boules
Indemnité 300 F + F.P.
CONSOLANTE À 15 h. 30

Advertisement for bowling competition

Vous Aussi Apprenez **BIEN**
DANSER

Seul(e) chez vous, en mesure même
sans musique en q.q. heures, **aussi
facilement qu'à nos Studios**
Méthode sensass., très illustrée
REPUTATION MONDIALE
Succès garanti. Timidité vaincue
Envol discret notice contre enveloppe timbrée
Notre Formule : SATISFAIT ou REMBOURSE

Advertisement for dancing lessons

loterie nationale
Ne laissez pas dormir
votre capital-chance

achetez un billet toutes les semaines
tirage chaque mercredi

Advertisement for French national lottery

31

Qui va au cinéma?

Une série d'études menées par la C.E.S.P. (Centre d'Etudes des Supports de Publicité) et le C.N.C. (Centre National de la cinématographie) ont permis de dégager les motivations et les gouts des spectateurs.

QUAND va-t-on au cinéma? De préference le samedi soir (35%) et le week-end. Le soir de toutes facons (68%).

COMBIEN de fois? Les sondafes ont détecté 8% de spectateurs assidus allant au cinéma une fois par semaine ou plus, 29% de clientèle régulière voyant 1 à 3 films par mois, et 63% de spectateurs occasionnels voyant moins d'un film par mois.

COMMENT y va-t-on? La plupart du temps à 2 ou en petit groupe. Et sans les enfants quand ceux-ci ont moins de quinze ans.

QUI va au cinéma? Plus d'un spectateur sur 2 a moins de 25 ans. Les cadres supérieurs, cadres moyens, employés, et étudiants représentent 37.5% des spectateurs. On note bien sûr une fréquentation essentiellement urbaine et une hausse de la fréquentation féminine, autrefois moins importante que la fréquentation masculine.

Télérama

hausse increase

POUR VOIR QUOI? Que demande le spectateur du film qu'il aimerait voir?
1. Qu'il les fasse rire . . . 36%
2. Qu'il comporte une intrigue policière qui les tienne en haleine (film «à suspense») 23%
3. Qu'il pose le problème des relations entre individus dans la société, la famille, le couple .12%
4. Qu'il raconte une histoire d'amour ou d'amitié 12%
5. Que son action se déroule dans un siècle passé 8%
6. Qu'il raconte une histoire pleine d'action et de violence 13%
7. Qu'il aborde les grandes problèmes politiques et sociaux 8%
8. Qu'il raconte une histoire fantastique, surnaturelle 8%
9. Qu'il soit très libre et même osé du point de vue sexuel 8%

Les Français regardent moins la télévision

La rumeur persistante l'avait laissé présager. Trois chiffres, publiés sans bruit dans les rapports parlementaires, l'ont confirmé. Les Français boudent leur télévision et la délaissent volontiers. Désintoxication? Lassitude? Retour à des activités nouvelles? Nous avons voulu savoir.

Moins de jeunes

Par rapport à il y a 4 ou 5 ans, diriez-vous que vous regardez la télévision plutôt plus, plutôt moins, à peu près autant ?

	%
— Plutôt plus	21
— Plutôt moins	32
— A peu près autant	44
— Sans opinion	3
— Total	100

Les livres et les autres

Puisque vous regardez moins la télévision, y a-t-il parmi les activités suivantes certaines auxquelles vous consacrez plus de temps qu'il y a 4 ou 5 ans ? (Question posée seulement aux personnes ayant répondu qu'elles regardaient *plutôt moins* la télévision).

	%
— Discussions familiales	29
— Dîner avec des amis	25
— Sorties au cinéma	15
— Sorties au théâtre, concerts, music-hall	9
— Sport ou assistance à des matches	14
— Lecture (livres, journaux)	49
— Ecoute de la radio, de disques	27
— Bricolage, jardinage	22
— Autres réponses	12
— Sans réponse	5

(*) Total supérieur à 100, en raison des réponses multiples.

Moins intéressante

Pour quelles raisons regardez-vous plutôt moins la télévision qu'il y a 4 ou 5 ans ? (Question posée seulement aux personnes ayant répondu qu'elles regardaient *plutôt moins* la télévision).

	%
— Ma situation personnelle me laisse moins de temps pour regarder la télévision	33
— Je trouve les programmes moins intéressants	41
— La télévision est monotone, on n'y trouve rien de nouveau	36
— Autres raisons	17
— Sans opinion	2

Total supérieur à 100, en raison des réponses multiples.

Télérama

bouder to tire of

3 À table

LA VIANDE.
A-t-elle toujours été un produit de luxe?

Les paysans aisés, ce n'était pas la majorité, mangeaient du
◊ lard, de la viande ou de la volaille les jours de fête. Les villes
avaient pour tradition de bien manger et de bien boire, et cela
même dans le peuple. Il y a un chiffre étonnant; à Paris, la ration
moyenne de viande par an en 1789 était de plus de 60 kg de
viande par an et par tête d'habitant, c'est-à-dire un chiffre dé,a
moderne. Il est vrai que pas mal de gens mangeaient peu de
viande, mais cela veut dire que pas mal de gens en mangeaient
autant ou même plus que maintenant.

Emmanuel Le Roy Ladurie, **Marie-Claire**

lard   bacon

Un bœuf, ce n'est pas que du steack.

L'idéal du Français serait d'avoir tous les jours dans son assiette ce
◊ qu'il demande inlassablement à son boucher: «un bifteck ou un rôti
bien tendre». Or, il est bien certain qu'un bovin de 500 kg ne fournit
pas 500 kg de viande à bifteck et de morceaux nobles. Le
consommateur a pris l'habitude de désigner par sa destination
culinaire un ou des morceaux qui portent des appellations bien
précises. Souvent, par ignorance ou par méfiance, il refuse une
viande qui pour un moindre prix pourrait lui donner satisfaction.
Les Français consomment de plus en plus de viande. Le bœuf vient
en tête avec plus de 35% de la consommation carnée totale. Un   ◊
Français consomme annuellement 23,900 kg de viande de bœuf, sa
préférence allant aux morceaux tendres; c'est-à-dire à griller et vite
préparés.

Marie-Claire

inlassablement   tirelessly
consommation carnée   meat consumption

● Un couple de charcutiers du Hav- ◊
◊ re avait aménagé son magasin en
officine de préparation de stupé-
fiants. Que devenaient les saucisses?

Des hot-drogues

charcutiers   pork butchers
aménager   to set up, arrange
magasin en officine   chemist's shop

Un 'Irlandais' d'outre Manche?

● **JE M'AMUSE** de l'histoire qu'un autre lecteur a détachée d'un
journal à mon intention. Un douanier belge voulait découper un ◊
large steak dans le chargement d'un camion frigorifique qui passait
la frontière. Le chauffeur referma la porte sans s'apercevoir qu'il
emportait quelques kilos de viande belge de plus. Le douanier fut
délivré aux alentours de Paris. Il était quasiment congelé, et dut se ◊
◊ ramollir à l'hôpital. Depuis, il n'ose plus se regarder dans une glace.
De peur d'y tomber.

La Vie

un douanier belge   A Belgian customs
   official (The Belgian people have for
   many years been the butt of numerous
   French jokes.)
congelé   frozen
se ramollir   to thaw out

LA PETITE HISTOIRE DU FROID

L'utilisation du froid ne date
pas d'hier. Nos ancêtres les Gau-
lois avaient déjà eu l'idée de re-
◊ couvrir de neige les bourriches
d'huîtres bretonnes qu'ils
acheminaient régulièrement
chez les gourmets romains. In-
venteur de la première «machine
frigorifiqe» en 1857, Ferdinand
Carré qui congela des viandes
pour la première fois est considéré comme le «père du congelé». Ingénieur comme lui,
Charles Tellier aménagea, en
1876, un navire frigo qui, parti de
Rouen, apporta aux Argentins le
dernier mot de la technique française sous forme de quartiers de
bœuf normands en parfait état
de conservation.

La Vie

bourriches   basketfuls

LE PAIN.
Pourquoi préfère-t-on aujourd'hui le pain blanc?

J'ai beaucoup d'admiration pour les boulangers et les pâtissiers. Je crois que c'est un des derniers bastions du travail artisanal et familial en France. En Amérique, presque tout le pain est fabriqué industriellement. En France, l'artisanat de la boulangerie a survécu en partie grâce à la résistance opposée par l'exploitation familale du four contre l'industrialisation qui la menace.

Il ne faut pas oublier que le pain, le pain blanc était en France un symbole social.

Au Moyen Age, on mangeait du pain d'orge. J'ai retrouvé en lisant «Le chevalier au lion» de Chrétien de Troyes, au XVe siècle, l'expression «grossier comme du pain d'orge», qu'on entendait encore dans le Languedoc, il n'y a pas si longtemps. Mais, dès le XVIe siècle, on est passé au pain de froment avec beaucoup de son ou au pain de seigle, qu'on trouve toujours en Allemagne et en Russie. La bourgeoisie, la noblesse, la cour royale se distinguaient alors en mangeant du pain blanc.

Aujourd'hui, nous nous symbolisons un peu par la voiture, la «Mercédès». Autrefois, on se distinguait de bien des façons, mais d'abord par le pain. Le pain noir des serviteurs ou le pain blanc des maîtres.

C'est pour imiter les classes élevées que le peuple s'est mis au pain blanc. A Paris et en Normandie, dès le XVIIIe et le XVIXe siècle, le pain blanc est devenu la nourriture d'un très grand nombre de gens. Il est du reste dangereux pour les dents!

On pourrait, dans le même sens parler du café. Un historien psychanalyste pense que la vogue de la consommation du café au XVIIIe siècle est l'indice que la societé se débloque, devient mobile, a besoin d'excitants pour le travail, notamment intellectuel. Regardez d'ailleurs les Américains! Leur café n'est pas fort, mais ils en boivent d'énormes quantités.

Emmanuel Le Roy Ladurie, **Marie-Claire**

orge barley
froment wheat
son bran
seigle rye

solde bargain

La baguette à 1 franc

Autant qu'une nourriture, la baguette est, pour les Français, un symbole. Depuis qu'il a été décidé de libérer les prix du pain en août 1978, c'est vers elle que se sont tournés les regards pour évaluer la situation. En moins de deux ans et demi on a vu son prix augmenter, selon les régions, de 40% à 45%. L'effet de la concurrence escompté par le ministre de l'economie n'a pas joué, ainsi que le reconnaît le premier ministre pour les prix en général.

Va-t-il jouer maintenant? La décision d'un boulanger de La Ciotat de vendre la baguette à 1 franc (alors que ses concurrents la vendent à 1,75 franc) fait aujourd'hui tache d'huile. A Lyon, à Toulon, à Metz, à Clermont-Ferrand, d'autres détaillants affichent un prix qui est en diminution de 25 centimes sur celui qu'ils pratiquaient en. . . juillet 1978.

On doute que les petits boulangers puissent assurer leur marge en usant de tarifs aussi bas, sauf à travailler vingt, heures par jour, comme prétend le faire le «pionnier de La Ciotat», à mettre toute la famille au fournil et au magasin, à se rattraper sur la pâtisserie, voire sur le pain de 400 grammes. Sans pour autant assurer une qualité qu'un certain romantisme attribue à la fabrication artisanale.

Le Monde

détaillants retailers

On a déjà mangé là, le mois dernier ! Croyez-moi, c'est un restaurant qui mérite le contour.

andouilles chitterling sausages

le mercure galant

On a tendance à oublier ce restaurant tendre et élégant au profit d'un autre, pas très loin, un grand, un renommé, un des plus vieux de Paris – le Grand Véfour – qui, hélas, se caractérise par son manque d'originalité. Le Mercure galant est sage. Un peu trop, peut-être. Il fraie légèrement avec la «nouvelle cuisine» mais les sauces sont encore trop chargées de fonds. Pour une première fois, pour tenter aussi d'égayer ce lieu où le décor ressemble à la clientèle – fin dixneuvième! – il faut goûter la salade d'écrevisses, le rognon de veau à la moutarde de Meaux et le millefeuille Mercure. Les vins de Bordeaux sont abordables et les prix restent «raisonnables».

Le Nouvel Observateur

frayer to flirt with
égayer to cheer up
abordables reasonably priced

ON MANGE DEHORS!

Voice l'été. Place à la fantaisie. Faites la cuisine en plein air. C'est la fête autour du barbecue.

Tout ce qui se prépare au barbecue se grille, et tout ce qui est grillé est excellent pour nous. Ni sauce lourde, ni corps gras, ni épices, voilà qui est parfait: le porte-monnaie risque, lui, d'être moins bien traité que l'estomac. Les viandes qui se grillent sont des viandes prises dans les morceaux chers. Heureusement, le boudin, ◊ les saucisses, les poissons, beaucoup plus abordables, sont délicieux cuits sur la braise. Les légumes se prêtent moins bien à ce genre de cuisson. Mis à part les champignons, les poivrons et les tomates, il faut se rabattre sur des salades, des crudités, ou alors des légumes cuits à l'eau à l'intérieur de la maison. Les fruits s'imposent. C'est le moment ou jamais de se montrer naturiste et de supprimer les gâteaux.

Malgré toutes ces qualités, la cuisine au barbecue ne va pas sans quelques mises en garde. Il faut principalement se méfier de la fumée, et pas seulement pour les yeux. La fumée du charbon de bois, la fumée des graisses qui tombent des aliments et grésillent ◊ sur la braise dégagent des carbures polycycliques dangereux à la longue pour la santé.

Marie-Claire

le boudin black pudding
grésiller to sizzle

L'ADDITION

LE CLIENT

Garçon, l'addition!

LE GARÇON

Voilà. (Il sort son crayon et note). Vous avez. . . deux œufs durs, un veau, un petit pois, une asperge, un fromage avec beurre, une amande verte, un café filtre, un téléphone.

LE CLIENT

Et puis des cigarettes!

LE GARÇON
(Il commence à compter)

C'est ça même. . . des cigarettes. . .
. . . Alors ça fait. . .

LE CLIENT

N'insistez pas, mon ami, c'est inutile, vous ne réussirez jamais.

LE GARÇON

!!!

LE CLIENT

On ne vous a donc pas appris à l'école que c'est ma-thé-ma-ti-que-ment impossible d'additionner des choses d'espèce différente!

LE GARÇON

!!!

LE CLIENT
(élevant la voix)

Enfin, tout de même, de qui se moque-t-on?·. . .Il faut réelle-ment être insensé pour oser essayer de tenter d' «additionner» un veau avec des cigarettes, des cigarettes avec un café filtre, un café filtre avec une amande verte et des œufs durs avec des petits pois, des petits pois avec un téléphone. . . Pourquoi pas un petit pois avec un grand officier de la Légion d'Honneur, pendant que vous y êtes! (Il se lève).

Non, mon ami, croyez-moi, n'insistez pas, ne vous fatiguez pas, ça ne donnerait rien, vous entendez, rien, absolument rien. . . pas même le pourboire!
(Et il sort en emportant le rond de serviette à titre gracieux.)
Jacques Prévert, **Histoires**, Editions Gallimard.

REPAS

Pour une maîtresse de maison femme d'affaires prise au ◊ dépourvu devant un dîner impromptu. . .
Un businessman affamé ◊ prisonnier d'une séance de travail. . .
Un mari esseulé et pantouflard qui souhaite rester devant sa téle au lieu de sortir. Un fan de week-end à la campagne confronté à l'épineux retour du dimanche soir: réfrigérateur dégarni et famille affamée. . .
Voici une très bonne nouvelle! Un simple appel téléphonique à SOS Repas et à n'importe quel moment, 24 heures sur 24, vous sera livré, dans les meilleurs délais, un plateau-repas complet et équilibré. Un repas garanti pour sa fraîcheur, froid ou prêt à réchauffer, et à des prix raisonnables.

Marie-Claire

prise au dépouvu caught unawares
affamé starving

Foie de veau aux oignons

30 MINUTES

Pour 6 personnes :	200 g de crème fraîche
1 kg de foie de veau	fines herbes
750 g de petits oignons	sel, poivre
100 g de beurre	vinaigre
1 cuillerée à café de sucre	Préparation : 10 mn
1/4 de litre de bière	Cuisson : 20 mn

Demandez au tripier de découper le foie en dés de 3 cm de côté environ. □ Épluchez les oignons, mettez-les à glacer dans une grande casserole en les recouvrant à peine d'eau, ajoutez 20 g de beurre, le sucre et 1 goutte de vinaigre. Laissez cuire doucement à découvert jusqu'à évaporation complète du liquide (environ 10 mn). □ Dans le reste du beurre chaud et dans une sauteuse, faites revenir le foie sur toutes ses faces pendant 5 bonnes minutes. Salez, poivrez et saupoudrez des fines herbes hachées. □ Le foie étant cuit à point (c'est-à-dire encore rosé à l'intérieur) et les oignons dorés, égouttez-les, dressez-les sur le plat de service, tenez-les au chaud à l'entrée du four. □ Retirez le gras de cuisson et déglacez les deux récipients avec la bière. Grattez bien les sucs de cuisson, mêlez les deux sauces, faites réduire à feu vif quelques minutes. □ Hors du feu, ajoutez la crème en fouettant. Remettez sur le feu, goûtez et rectifiez l'assaisonnement si nécessaire. Nappez le foie et les oignons d'un peu de sauce et servez le reste en saucière.

Notre conseil : piquez le foie ici et là à la fourchette et démarrez sa cuisson au beurre blond pour qu'il ne se rétracte pas en étant saisi trop vivement.

éplucher to peel
saupoudrer to sprinkle

◊ À chaque gibier, sa cuisson

Pour tout gibier, il faut éviter le séjour au soleil. Si le gibier ne peut être mis immédiatement dans un endroit frais, il faut le protéger des mouches et du soleil, le manipuler avec précautions. Certains chasseurs méticuleux prennent même le soin d'envelopper les petites pièces dans du papier de soie.

L'âge et l'espèce du gibier déterminent la cuisson. Celle-ci doit être bien choisie afin de mettre en valeur les qualités du gibier.

Les canards sauvages doivent être rôtis s'ils sont jeunes, petite taille, plumes tendres. Les jeunes canards ou «halbrans» sont toujours tendres.

◊ Les cols verts et les sarcelles sont des bêtes à rôtir si elles sont jeunes. Un jeune canard se reconnaît à la flexibilité du bec. Saisi entre le pouce et l'index, il doit casser si d'une secousse on lui fait porter le poids du corps. Les oiseaux moins jeunes sont bons en braisés ou en pâtés.

Pour le braisage, faites suer la bête à couvert dans la cocotte et jetez cette première graisse au goût fort.

Marie-Claire

gibier game
sarcelles teals

Comment reconnaître une belle salade.

Pressez légèrement les côtes des feuilles extérieures, elles
doivent être cassantes;
si elles plient, c'est que la salade
n'est plus de la première fraîcheur.

Quand vous achetez une laitue, vérifiez
qu'elle est pommée, c'est-à-dire
que le cœur est bien rond, bien serré,
et d'un beau jaune tendre.

Choisissez toujours
une salade d'un beau vert
frais et brillant.

From an article on how to choose quality fruit and vegetables

L'OBSERVATEUR GASTRONOME

1er ARRONDISSEMENT	3e ARRONDISSEMENT
LE SOUFLÉ. Sa bonne cuisine Française et ses souflés. Ouvert midi et soir. Fermé le dimanche.	**ANAHI.** Cuisine sud-américaine. Ouvert midi et soir sauf dim. Métro Arts et Métiers.
IL DELFINO. Spécialités italiennes. Pâtes fraîches maison. Cadre agréable. Cave authentique du 13e siècle pour banquets et pensions. Ouv. t.l.j.	**L'AMBASSADE D'AUVERGNE.** Aub. du Massif Central au cœur de Paris. Park. illim. fce au restaurant.

4e ARRONDISSEMENT

LES PYRAMIDES. Déj. Dîner. T.l.j. sauf mardi. Reçoit jusqu'à 22 h 30. Mer., jeudi; Pot-au-feu. Ven., samedi: Bouillabesse. Dim., lundi: Cassoulet.	**LE PORTEMANTEAU.** Ses spécialités: Magret de canard aux poivres vert et Côte de veau aux poires. Ouvt, t.l.j. Tte l'année jusq. 2 h du matin.

Advertisements for Paris restaurants

FRITES NOUVELLES
AUX 3 CUILLERES D'HUILE.

Pour 1 kg de pommes de terre :

3 cuillères d'huile (toute huile,

même huile de table ou de régime)

Cuisson : 25 mn Position : 2

Surveillance : aucune

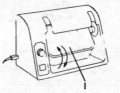

Ce nouveau mode de cuisson des frites permet, en supprimant le traditionnel bain d'huile, de servir des frites digestes, légères et dorées en surface sans être imprégnées. Avec le Friteur Automatique Tournus, la frite entre enfin dans la nouvelle cuisine !

❧

Préparer les pommes de terre comme pour des frites ordinaires et les placer dans la cuve du Friteur.

Ajouter 3 cuillères à soupe de votre huile habituelle.

Agiter la cuve pour bien répartir l'huile sur les pommes de terre et le fond.

Mettre la cuve en place dans le Friteur, sélectionner la position 2 et régler sur 25 mn le minuteur qui met en marche.

En fin de cuisson, la cuve continuera à se balancer quelques minutes et les frites resteront chaudes en attendant que vous serviez.

Advertisement for chip fryer

Spécialités de la gastronomie bourguignonne

La BOURGOGNE gourmande, c'est d'abord les vins bien sûr, qui du nord au sud s'ordonnent en une carte prestigieuse :

- vins blancs secs et subtilement bouquetés de Chablis,
- grands vins rouges mondialement célèbres de la Côte de Nuits,
- rouges somptueux et blancs célèbres de la Côte de Beaune et de la Côte Chalonnaise,
- grands crus et vins blancs secs et fruités du Mâconais,
- premières treilles du Beaujolais,

sans oublier les vins de Pouilly-sur-Loire : Chasselas et Blanc fumé...

mais c'est aussi toute une ronde de produits que magnifie une grande tradition culinaire :

- jambons du Morvan patiemment salés et séchés,
- escargots dormeurs qui suffiraient à eux seuls à la gloire de la Bourgogne,
- tendres poulets de Bresse engraissés au maïs,
- bœufs du Charollais exportés dans le monde entier,
- fromages frais et fromages faits aux parfums du terroir : Chaource, Citeaux, Epoisses, St-Florentin, Ementhal...

et les fruits : cerises de l'Yonne
cassis de la Côte
fruits confits, confitures, confiseries...

...sans oublier bien entendu la moutarde, la moutarde de Dijon.

—◀✳▶—

Publicity hand-out for region of France

cassis blackcurrants

LE VIN.
Buvait-on déjà autant de vin autrefois?

Aujourd'hui, on fait bouillir l'eau et on la javellise... Autrefois, celle ◊
qu'on buvait, parfois puisée dans les mares, souillée par le fu-
mier, par toutes sortes de choses était dangereuse. Il valait mieux
boire du vin ou du cidre parce qu'ils contiennent de l'alcool et
que l'alcool tue les microbes! C'était plus sain que l'eau et les
gens le savaient. Les pauvres, bien sûr, ne buvaient que de l'eau
et risquaient davantage leur santé.

Le vin et le cidre étaient même des médications. Proust dans
sa jeunesse était soigné avec de grands vins, ce qui d'ailleurs
désolait sa grand'mère. À l'époque, il n'y avait pas d'additif
chimique dans le vin, et le taux d'alcool était réellement faible:
7 à 8 degrés. Il y avait certes des régions alcooliques (Ouest de
la France), mais la consommation du vin ailleurs était raisonnable.
Une année sans vin et sans cidre était un grand malheur parce
que les gens savaient qu'ils auraient à boire de l'eau malsaine. ◊
Maintenant, la situation a changé, parce que l'eau est devenue
effectivement saine.

La consommation d'alcool est élevée chez nous. Mais l'alcoolisme est davantage un problème des peuples du Nord. La civil-
isation méditerranéenne est habituée au vin et n'en consomme
pas trop. C'est d'ailleurs la tradition chrétienne, le vin étant,
comme chacun sait important pendant la messe. Les Suisses qui,
au XVIe siècle, descendaient à Barcelone étaient étonnés de
voir dans le port beaucoup de prostituées, mais pas un ivrogne.
C'est toute la différence entre des peuples qui buvaient du vin
depuis deux mille ans, tels que les méditerranéens dont la consommation vinique était raisonnable, et ceux pour qui il était un
luxe (les Germains, les Celtes, les Slaves...) chez qui la traditon
alcoolique est d'autant plus forte. On disait autrefois «saoul comme ◊
un lord», «saoul comme un Polonais»...

Emmanuel Le Roy Ladurie, **Marie-Claire**

javelliser   to chlorinate
malsaine   unhealthy
saoul   drunk

Advertisement for Bordeaux wines

à la portée   within reach
un éventail   a range

Un ivrogne sort d'un bar en titubant, flanqué d'un petit éléphant rose qui n'arrête pas de lui faire des reproches:

— Regarde dans quel état tu t'es mis! Tu n'es qu'un bon à rien! Ton patron t'a mis à la porte, tes gosses se moquent de toi, ta femme te trompe. . .

— Assez! crie l'ivrogne, en s'agrippant à un réverbère. Si tu ne t'arrêtes pas tout de suite, je cesse de boire, et tu disparais!. . .

titubant   reeling
un réverbère   a street-lamp

4 À votre santé

Les pieds sous la table, l'alcool tue aussi !

« L'alcool tue lentement... on s'en moque, on n'est pas pressé. »

◊ Cette boutade classique vous fait sourire ?

Moi pas. J'ai toujours trouvé déshonorant l'éthylisme mondain, dramatique l'alcoolisme populaire. Les ivrognes me font peur. Je n'admire pas les hommes qui « tiennent » la cho- ◊ pine. J'ai honte parfois de vivre dans un pays où ce fléau collectif est presque considéré comme une tradition nationale.

Pourquoi cet accès de colère anti-alcoolique ? Parce que j'en ai assez que les hommes français se tuent, le verre à la main, huit ans plus tôt que leurs femmes.

Une étude de l'Inserm vient de démontrer que cette surmortalité masculine (espérance de vie des hommes : 69,1 ans, des femmes : 77,2 ans) est due essentiellement en France à l'alcoolisme et à un certain nombre de cancers dans la genèse desquels l'alcool joue un rôle important.

Après la route et le tabac, il faut déclarer à l'alcool une guerre totale. L'alcootest n'est qu'un tout petit ballon d'essai par rapport à l'ampleur du problème. Oui l'alcool est dangereux au volant, mais il tue tout aussi sûrement et beaucoup plus massivement ceux qui s'y adon- ◊ nent les pieds sous la table.

Christiane Collange, **Elle**

boutade sally of wit
chopine half-litre glass
fléau scourge
s'adonner to become addicted

Un médecin habile

(Le docteur Knock réussit toujours à persuader aux gens qui se portent bien qu'ils sont malades.)

La dame: Vous ne pourriez pas me guérir à moins cher?

Knock: Ce que je puis vous proposer, c'est de vous mettre en observation. Ça ne vous coûtera presque rien. Au bout de quelques jours vous vous rendrez compte par vous-même de la tournure que prendra le mal, et vous déciderez.

La dame: Oui, c'est ça.

Knock: Bien. Vous allez rentrer chez vous. Vous êtes venue en voiture?

La dame: Non, à pied.

Knock: *(tandis qu'il rédige l'ordonnance, assis à sa table.)* ◊
Il faudra tâcher de trouver une voiture. Vous vous coucherez en arrivant. Une chambre où vous serez seule, autant que possible. Faites fermer les volets et les rideaux pour que la lumière ne vous gêne pas. Défendez qu'on vous parle. Aucune alimentation solide pendant une semaine. Un verre d'eau de Vichy toutes les deux heures, et, à la rigueur, une moitié de biscuit, matin et soir, trempée dans un doigt de lait. Mais j'aimerais autant que vous vous passiez de biscuit. Vous ne direz pas que je vous ordonne des remèdes coûteux! A la fin de la semaine, nous verrons comment vous vous sentez. Si vous êtes gaillarde, si vos forces ◊ et votre gaîté sont revenues, c'est que le mal est moins sérieux qu'on ne pouvait croire, et je serai le premier à vous rassurer. Si, au contraire, vous éprouvez une faiblesse générale, des lourdeurs de tête, et une certaine paresse à vous lever, l'hésitation ne sera plus permise, et nous commencerons le traitement.

Jules Romain, **Knock**, Editions Gallimard

l'ordonnance   the prescription
gaillarde   in good form

M. le docteur a toujours raison!

Souffrant de l'estomac, un patient va consulter un spécialiste qui se montre catégorique:

— Une seule consigne: n'absorbez aucun aliment solide dans les deux heures qui précèdent l'heure de votre coucher.

Impressionné, le malade suit scrupuleusement la prescription. Maïs son état ne s'améliore pas et il retourne voir son médecin. Celui-ci est aussi catégorique:

— Votre cas est simple. Un seul point à observer, mais strictement: vous coucher aussitôt après avoir solidement dîné.

— Mais, fait remarquer timidement le patient, la semaine dernière vous m'aviez dit exactement le contraire.

— Cela vous prouve, rétorque le spécialiste sans se laisser démonter, à quel point la médecine peut faire des progrès en huit jours.

Lecture pour tous

Advertisement for health spa

3ᵉ âge   old age
2ᵉ âge   middle age

A côté du record mondial de la consommation de
◊ vin, les Français détiennent celui de la
consommation d'eau en bouteille. Une habitude qui
leur coûte cher comme le révèle l'enquête que
voici réalisée par «Que choisir?». Si encore l'eau
en conserve était supérieure, à l'eau du robinet...
Mais c'est loin d'être le cas. Bien des préjugés là-
dessus doivent d'ailleurs être dissipés...

L'eau des villes imbuvable?

Si on achète autant d'eau en bouteille, c'est parce qu'on croit
généralement qu'elle offre plus de garanties bactériologiques que
l'eau du réseau de distribution.

◊ Nous avons effectué 20 prélèvements d'eau de robinet dans six
villes de France: aucune ne présente de germe pathogène, toutes
sont d'une qualité bactériologique satisfaisante.

Il est bien évident que ces quelques prélèvements ne nous
permettent pas de conclure que l'eau distribuée en France est
toujours d'une qualité bactériologique irréprochable. Cependant,
l'eau du réseau de distribution est contrôlée en permanence, et de
façon plus rigoureuse que l'eau en bouteille.

Lecture pour tous

détenir to hold the record
prélèvements taking of samples

MAL DE GORGE.

Oroseptol
agit <u>à la fois</u> sur la douleur et l'infection de la gorge.

Oroseptol contient deux composants qui combattent ensemble le mal de gorge :
– un anesthésique pour soulager la douleur
– un bactéricide pour combattre les micro-organismes infectants.

Oroseptol est très pratique : sa présentation sous blister protège hygiéniquement chacune des 30 tablettes.
Oroseptol ne contient pas d'antibiotique.
Peut être utilisé aussi par les enfants.

oroseptol ⑤

Pourquoi fumez-vous?

Les facteurs qui amènent les jeunes à commencer à fumer sont généralement simples: curiosité, désir d'intégration au groupe social des adultes, conformité aux modes sociaux en même temps qu'affirmation de soi. Les facteurs pour lesquels on continue à fumer sont en revanche plus nombreux et plus complexes.

Ce questionnaire a pour but de vous permettre de découvrir les raisons pour lesquelles vous fumez, c'est-à-dire de mettre en évidence la nature du besoin que vous éprouvez d'allumer une cigarette.

D'une part parce qu'il est toujours intéressant de connaître les raisons véritables d'un acte si souvent répété dans la journée, si machinal qu'on oublie de s'interroger sur sa signification. D'autre part parce qu'analyser ces raisons est une étape nécessaire pour ◊ faire naître des motivations opposées — cesser de fumer — ou renforcer le désir que l'on a d'y parvenir : en prenant conscience que le tabagisme est avant tout une mauvaise habitude que servent à justifier de mauvais prétextes. Enfin réfléchir aux motifs pour lesquels vous fumez vous aidera dans le choix des moyens qui vous permettront de n'être plus "enchaîné par le tabac".

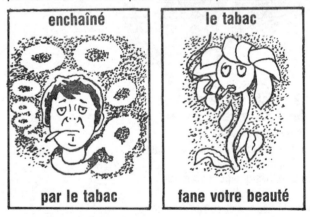

enchaîné par le tabac

le tabac fane votre beauté

QUESTIONNAIRE

En vous reportant au tableau ci-dessous, vous allez déterminer vous-même à quelle catégorie de fumeurs vous appartenez. Lisez d'abord très attentivement l'ensemble des questions; répondez ensuite à chacune d'entre elles en entourant d'un trait le chiffre qui correspond à la fréquence de votre attitude. Ne donnez qu'une seule réponse par question sinon vous fausseriez le calcul.

		toujours	souvent	moyennt	parfois	jamais
A.	Je fume pour me donner un coup de fouet	5	4	3	2	1
B.	Je prends plaisir à allumer et à tenir une cigarette	5	4	3	2	1
C.	Tirer sur la cigarette est relaxant	5	4	3	2	1
D.	J'allume une cigarette chaque fois que je suis tracassé	5	4	3	2	1
E.	Quand je n'ai plus de cigarettes, il faut que je courre en acheter	5	4	3	2	1
F.	Je fume automatiquement sans même y penser	5	4	3	2	1
G.	Je fume pour me donner du courage	5	4	3	2	1
H.	Le plaisir de fumer commence avec les gestes que je fais pour allumer ma cigarette	5	4	3	2	1
I.	Je trouve des quantités de plaisirs dans l'acte de fumer	5	4	3	2	1
J.	Je fume chaque fois que je suis mal installé ou mal à l'aise	5	4	3	2	1
K.	Je ne suis pas dans le coup quand je ne fume pas	5	4	3	2	1
L.	J'allume une cigarette sans me rendre compte que j'en ai une qui brûle encore dans le cendrier	5	4	3	2	1
M.	Je fume pour en imposer aux autres	5	4	3	2	1
N.	Quand je fume, j'ai du plaisir à regarder la fumée et ses volutes	5	4	3	2	1
O.	Je fume même si je suis détendu	5	4	3	2	1
P.	Je fume quand j'ai le ◊ cafard, pour oublier	5	4	3	2	1
Q.	J'ai toujours besoin de bouger quelque chose si je ne fume pas	5	4	3	2	1
R.	Il m'arrive d'avoir une cigarette dans la bouche sans même savoir comment elle y est arrivée	5	4	3	2	1

INTERPRETATION

Reportez dans ce second tableau (ci-dessous) au dessus de la lettre A le chiffre que vous avez encerclé en réponse à la question A; faites de même pour la question G puis la question M qui composent la ligne 1; et ainsi de suite pour les autres lignes correspondant aux autres questions (B,H,N) — (C,I,O) — (D,J,P) — (E,K,Q) — (F,L,R).

Faites ensuite le total de chaque ligne horizontale. Ce total exprime la part qui revient à telle ou telle motivation dans votre besoin de fumer.

● Tous les totaux des lignes horizontales supérieurs à 11 indiquent qu'il s'agit là d'une motivation forte de votre besoin de fumer.

● Au contraire, les totaux inférieurs à 7 indiquent que ce n'est pas pour cette raison là que vous fumez.

I   .... + ... + ... = ...
    A   G   M   Stimulation

II .... + ... + ... = ...
    B   H   N   Plaisir du geste

III .... + ... + ... = ...
    C   I   O   Relaxation

IV .... + ... + ... = ...
    D   J   P   Anxiété/soutien

V .... + ... + ... = ...
    E   K   Q   Besoin absolu

VI .... + ... + ... = ...
    F   L   R   Habitude acquise

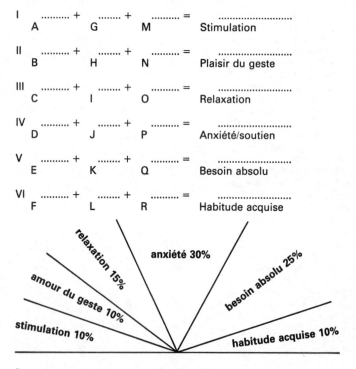

Pourcentage des diverses catégories de fumeurs

●

Suivant la ou les catégories de fumeurs auxquelles vous appartenez, voici quelques suggestions:

I Vous fumez pour essayer de vous stimuler.

La cigarette accroît votre sentiment d'énergie, vous vous sentez en forme en fumant. Pour arrêter, essayez de trouver un nouveau stimulant: une activité physique, un sport ou un passe-temps qui vous captive.

II Vous fumez par plaisir du geste.

Trouvez des objets agréables à manier. Le bricolage peut aussi représenter un excellent dérivatif.

III Vous fumez pour vous détendre.

C'est une fausse impression de relaxation. Vous verrez en vous désintoxiquant que votre tranquillité, après quelque temps de nervosité, sera beaucoup plus grande qu'avant.

IV Vous pensez que la cigarette est un soutien contre votre anxiété.

Essayez en modifiant votre mode de vie de réduire votre tension nerveuse. Faites des respirations lentes et profondes, ce qui détend le système nerveux et réduit l'anxiété. Enfin, évitez le surmenage.

V Vous fumez parce que le tabac est réellement pour vous une drogue.

Si vous êtes en parfaite santé, essayez le surdosage pendant quelques jours (pour arriver au dégoût par saturation). Consultez un médecin qui pourra vous aider.

VI Vous fumez par habitude, comme un automate

Utilisez de petits «trucs» qui vous obligent à réfléchir chaque fois que vous avez envie d'une cigarette: par ex. changez de place votre paquet, n'ayez pas de feu sur vous. Respirez profondément; buvez un verre d'eau. L'envie de fumer passera.

Tabac et Santé

une étape   a stage
avoir le cafard   to be depressed

MENUS BASSES CALORIES
par Georges Duchêne

SAMEDI

Déjeuner	g	cal.
Boulettes de bœuf grillées	100	165
sauce tomate		
◊ Oseille au lait	200	50
Camembert	30	93
1 pomme		60

Dîner

	g	cal.
Escalope de veau panée	100	173
Jardinière de veau panée	150	75
1 yaourt		45
Ananas en tranches	100	50

DIMANCHE
Liberté très surveillée.
Se peser le lundi matin.

LUNDI

Déjeuner

	g	cal.
Cervelle grillée au citron	100	140
Epinards beurre frais	200	50
Radis beurre	100	20
1 banane		95

Dîner

	g	cal.
Jambon de Paris	100	173
Salade cuite beurre frais	200	40
Chou cru râpé au citron	100	35
Compote de rhubarbe	200	50

MARDI

Déjeuner

	g	cal.
Poulet rôti	100	147
Haricots verts	150	60
Emmenthal	30	125
1 orange		50

Dîner

	g	cal.
Poulet rôti froid	100	147
Bettes beurre frais	150	50
Reblochon	30	110
Fruits rafraîchis	100	50

oseille sorrel

MERCREDI
Journée de légumes

Petit déjeuner

		cal.
1 tasse de bouillon de		50
légumes		
Pain complet légèrement		
beurré		

Déjeuner

	g	cal.
Champignons sautés	300	90
Pommes de terre persillées	150	135
à l'anglaise		
Laitue en salade	100	20
2 petits-suisses		80

Dîner

	g	cal.
1 tasse de bouillon de		50
légumes		
2 fonds d'artichaut gratinés		115
Chicorée frisée en salade	100	20
Pommes de terre persillées	150	135
à l'anglaise		

JEUDI

Déjeuner

	g	cal.
Assiette anglaise	100	170
Poireaux beurre frais	150	60
Fromage blanc	50	70
Fraises	100	40

Dîner

	g	cal.
Steak haché persillé	100	165
Asperges vinaigrette	250	52
Coulommiers	30	85
1 poire		60

VENDREDI

Déjeuner

	g	cal.
Dorade au four	200	155
Salade cuite beurre frais	200	40
Betteraves en salade	100	35
Figues sèches	30	80

Dîner

	g	cal.
2 œufs à la coque		160
Chou-fleur sauce blanche	150	48
Scarole en salade	100	20
Dattes	30	80

tout
bien pesé

Votre poids vous préoccupe
Vous vous pesez
régulièrement. Très bien!
mais aussi, surveillez votre
alimentation. Et puis, buvez
Contrex. L'eau minérale
naturelle de Contrexéville,
en stimulant l'élimination,
agit pour maîtriser votre poids.
Tout bien pesé, vous-même
et votre régime, faites
confiance à Contrex.

◊ Le foie

Les 3/4 des Français souffrent du foie

En France, tout le monde (ou presque) se plaint d'avoir mal au foie. A just titre d'ailleurs, car des examens systématiques ont prouvé que les trois quarts des Français ont un foie qui fonctionne mal.

Pour le ménager, donc, vous vous privez d'une quantité de plaisirs. Pas de sorties tardives, pas d'excès de fatigue, pas de bains de soleil ni de bains froids. . . En outre, vous n'osez manger que des grillades, des légumes cuits à l'eau et ne boire que de l'eau minérale. Votre foie, c'est l'ennemi n° 1 de votre joie de vivre.

Il n'existe malheureusement pas de médicament miracle pour remettre votre foie en état, mais il y a quand même des moyens ◊ de le soulager.

Sachez tout d'abord que si votre foie est fragile, c'est que votre vésicule biliaire fonctionne mal. La vésicule biliaire est une toute petite poche où se stocke la bile sécrétée par le foie dans l'intervalle des repas. Normalement, elle se contracte lorsque vous mangez et la bile expulsée intervient dans la digestion des aliments.

Chez ceux qui ont le foie délicat, la vésicule se contracte de manière désordonnée, en dehors des repas. D'où des ballonnements, des brûlures, des migraines, un teint jaunâtre, sans compter les boutons.

Pour vous remettre en forme, il faut donc soigner non seulement le foi, mais aussi la vésicule.

De manière générale, mangez à des heures régulières. Mais pas n'importe quand, car il est maintenant prouvé que le foie suit le rythme du soleil. Il sécrète le maximum de bile à 13 heures, et à 20 heures. C'est à ces heures–là qu'il faut vous mettre à table.

André Lemaire, **Les Secrets du Docteur**, Editions de la Pensée Moderne

le foie   the liver
soulager   to relieve

Difficile à réveiller le matin, bâillant en classe, inattentif en fin de matinée, endormi après le déjeuner . . . l'écolier français est fatigué. Un sujet de préoccupation pour les pédiatres et les enseignants qui en ont discuté autour d'une table ronde. Grands et petits remèdes ont été évoqués.

Préparez son sommeil

Voici quelques bons conseils donnés par Mme de Wilde de l'Ecole des Parents :

● *Ne jamais faire du lit une punition, mais un endroit où l'on se sent bien. Ne pas présenter le sommeil comme une perte de temps, un acte qui empêche de faire ceci ou cela (jouer ou regarder la télévision par exemple), mais comme quelque chose d'agréable.*

● *Respecter les rites d'endormissement dans le même ordre, rester tendre et patiente jusqu'à ce qu'il soit couché, même si l'on doit sortir...*

● *Eviter l'excès de couvertures, les chambres trop chauffées, mal aérées.*

● *Si l'on a plusieurs enfants, ne pas dire : « Tout le monde au lit... à 8 h 30 ».*
Ce peut être valable pour l'enfant de 6 ans, pas pour celui de 11.

● *En cas de terreurs nocturnes, une pression de main suffit bien souvent à rassurer et l'enfant se rendort.*

● *S'il est réveillé par un cauchemar, là encore pas de lumière, peu de paroles, mais la présence rassurante d'un des parents. Il sera temps le lendemain de faire raconter le cauchemar et de le dédramatiser.*

Christiane Dansaert, *Elle*

bailler to yawn
un cauchemar a nightmare

5 On peut choisir ses amis . . .

NAISSANCE

C'est avec plaisir que nous avons appris la naissance à la maternité Sainte-Monique de l'hôpital Saint-Joseph de
ANNE-CLAIRE
au foyer de M. Jérôme Tranchard et de Mme née Véronique Duchene.

Nous saisissons cet heureux événement pour formuler des souhaits de longue vie au nouveau-né et présenter nos sincères félicitations aux heureux parents et aux grandsparents . . . non moins heureux.

LES GARÇONS NAISSENT-ILS PHALLOCRATES? ◊

Que pensent les petits garçons des petites filles? Ils caricaturisent mais ils parlent comme papa. . .

◊ Il faut se méfier des filles trop jolies. Voilà ce que pensent 65% des garçons de 9–10 ans interrogés par l'hebdomadaire «Pif».
Inquiétude. La beauté, c'est suspect. . .
A 13–14 ans, avec la moustache qui pousse, la méfiance augmente. Ils sont 78% à être sur leurs gardes! D'ailleurs, ajoutent 69% des gamins, «les filles. . . elles ne pensent qu'à être belles!. . .» Ce qui est surprenant, c'est que 55% des petites filles sont tout aussi convaincues que la beauté. . . ça sent le soufre. Et pourtant! La ◊ séductrice en socquettes, cela existe. . . Le petit garçon amoureux aussi. Et «les petites filles peuvent être jolies si elles ne sont pas idiotes, pas trop coquettes, pas maquillées, sans talons hauts». La beauté emballée dans la vertu. . . A l'opposé de la trop jolie petite fille: «le garçon manqué». Là aussi il faut se méfier, pas question
◊ de la laisser marcher sur leurs plates-bandes. A eux la force. Ils ont tous une âme de Zorro, prêts à protéger leurs compagnes. 62% sont disposés à se battre pour les filles. Et 61% de celles-ci approuvent ces bons sentiments. Mais cette force physique ne doit pas pousser les garçons à les commander: 73% s'y refusent. En revanche, 61% des garçons se sentent déjà une autorité virile qu'ils rêvent d'exercer sur leurs copines. Des copines «embêtantes». «Quand on leur fait mal, elles pleurent, elles rapportent». «Elles sont hypocrites, capricieuses et cachotières». . .

On pourrait multiplier à l'infini les réponses de ce sondage... On y trouve toutes les images stéréotypées des rapports hommes-femmes. René Zazzo, professeur à l'Université de Paris X-Nanterre, qui a étudié ce sondage constate: «La spontanéité des enfants c'est d'être conformistes». Mais, d'après le professeur, entre ce que disent les enfants et ce qu'ils font, il y a une marge. «C'est un besoin d'affirmation. S'opposer à l'autre sexe est une manière de se poser. Avec le temps, ils développent le sens des nuances et le respect des différences». A condition que les adultes ne les encerclent pas dans un monde en prêt à porter» où les modèles stéréotypés se conjuguent à tous les temps, à tous les âges.

Naît-on phallocrate ou le devient-on? Intéressante question quand on observe les petits mâles dans les cours de récréation. Mais ce sont les femmes qui détiennent la clef de la réponse et qui modèlent les futurs hommes.

Jacqueline Dana, **Elle**

phallocrates male chauvinists	*la laisser marcher sur leurs plates-*
se méfier to mistrust	*bandes* to let her walk all over them
le soufre sulphur	

GRAIN DE SEL
◊ Petits câlins et mots doux

La voilà qui refait surface, la tendresse. Petits câlins et mots doux sont en hausse. Dans la rue, dans les parcs, sur un banc public ou dans le cadre intimiste du foyer, on ◊ se penche, on s'épanche. Un regard, un mot doux, l'esquisse d'un sourire, quelque chose en nous s'éveille, fragile et mouvant, qui accorde le corps à l'esprit.

Tout cela n'est pas un constat, c'est un sondage I.F.O.P. qui nous le révèle. La tendresse conjugale se porte bien: 41% de conjoints s'embrassent à propos et hors de propos, n'importe quand et n'importe où, et 37% de temps en temps.

La tendresse parentale bat tous les records: 9 sur 10 embrassent leurs enfants.

Le partage des tâches tendres n'a apparemment rien de contraignant: presque autant de pères (6 sur 10) que de mères (7 sur 10) font la toilette de leurs enfants.

Conclusion? Puisque "l'amour fou" qui enflamme les cœurs fait ◊ terriblement rétro, citons André Breton à travers ces lignes, bribes de sentiments adressés à une amie imaginaire: «C'est même pourquoi j'ai choisi de vous regarder à 16 ans, alors que vous ne pouvez m'en vouloir. Que dis-je, de vous regarder, mais non, d'essayer de vous voir par vos yeux, de me regarder par vos yeux». **Le Méridional**

câlins caresses
s'épancher to let oneself go
rétro passé, old hat

Promenade
Pourquoi tu pleures?

Mets ton manteau! Où sont tes bottes? Va chercher tes bottes! Si tu ne trouves pas tes bottes, tu auras une baffe! Et on restera à la maison! Tu veux qu'on reste à la maison? Tu sais, moi, je n'ai aucune envie de sortir, surtout par ce temps. Et j'ai plein de choses à faire à la maison, plein.

Non, bien sûr, tu ne veux pas rester à la maison... Alors, va chercher tes bottes! Bon, ça y est? Tu es prêt? Je vais mettre mon manteau et on part. N'ouvre pas la porte! Tu vois bien que je ne suis pas prête, non? Bon, allons-y. Où sont mes clés? Tu ne les as pas vues, par hasard? Elles étaient sur la table, j'en suis sûre. Ah non! je les ai. Allons-y. Donne-moi la main.

Quel temps! Ne parle pas sinon tu vas prendre froid à la gorge et on appellera le docteur. Tu n'as pas envie qu'on appelle le docteur, n'est-ce pas? Alors, tais-toi. Et marche plus vite! On n'a pas beaucoup de temps. Laisse cette ficelle! Je t'ai dit cinquante fois de ne rien ramasser par terre. C'est plein de microbes. Tu tomberas malade et on appellera le docteur. Je te donnerai un bout de ficelle à la maison, si tu es gentil, bien sûr.

Ne traîne pas les pieds comme ça! Tu es fatigué ou quoi? Quand on est fatigué, on reste à la maison. Tu n'avais qu'à ne pas me demander de sortir. J'ai plein de choses à faire à la maison plein! Qu'est-ce que tu veux encore? Un pain au chocolat? Je t'en achèterai un au retour, si tu es sage. Et ne marche pas dans les flaques d'eau! On dirait que tu le fais exprès ma parole!

Allez, va jouer maintenant. Moi, je reste ici. Ne va pas trop loin, hein! Je veux te voir. Ne te roule pas comme ça dans le sable! Tu vas te faire mal. Et puis je n'ai pas envie de passer ma vie à nettoyer tes vêtements; J'ai assez de travail comme ça. Où tu as trouvé ce ballon? Rends-le au petit garçon! Rends-lui son ballon tout de suite! Excusez-le, madame, il ne s'amuse qu'avec les jouets des autres. Joue un peu avec ta pelle et ton seau. Tu as perdu ta pelle? Elle doit être dans le sable, cherche. Une pelle, ça ne disparaît pas comme ça. Mais cherche! Comment veux-tu la trouver si tu ne cherches pas? Tu n'as pas besoin de te coucher par terre pour chercher! Qu'est-ce que tu as trouvé là? Montre! C'est dégoûtant, dégoûtant. Jette-le tout de suite! Il n'y a rien de plus dégoûtant qu'un ver de terre.

Allez, joue un peu avec ta pelle et ton seau, car on va bientôt partir. Ton père ne va pas tarder à rentrer. Et puis j'ai plein de choses à faire à la maison. Ne mets pas tes doigts dans le nez! Si tu veux te moucher, prends ton mouchoir.

Allez, allons-y. Tu vois, le petit garçon s'en va aussi avec sa maman. Au revoir, madame. Viens je te dis! Tu n'entends pas? Eh bien, tu ne l'auras pas ton pain au chocolat! Regarde dans quel état tu as mis tes vêtements! Allez, donne-moi la main. Et tiens-toi droit! Marche plus vite, on n'a pas de temps à perdre. Qu'est-ce que tu as à pleurnicher encore? Bon, je te l'acheterai ton pain au chocolat.

Un pain au chocolat, s'il vous plaît, madame. Merci, madame. Ne le tiens pas comme ça, tu salis ton manteau, tu auras une baffe! Et je le dirai à ton père! Il ne va pas être content du tout. Et tu sais comment il est, quand il se met en colère.

Je t'ai déjà dit de ne jamais appuyer sur le bouton de l'ascenseur!

Bon, enlève tes bottes, je ne veux pas que tu mettes du sable dans toute la maison. Enlève-les immédiatement! Pourquoi tu pleures? Qu'est-ce que tu as? On a été se promener, comme tu voulais, je t'ai acheté ton pain au chocolat et au lieu d'être content tu pleures! Il va me rendre folle cet enfant.

Vassilis Alexakis, **Le Monde**

une baffe   a slap
pleurnicher   to snivel

MES PARENTS SONT CRISPÉS
CE QUI SE PASSE

C'est hier que tout a commencé. Quand Sabine est arrivée à 18 h 30, sa mère lui a fait remarquer qu'elle aurait dû être rentrée à 17 h 20. Sabine a hurlé: «J'en ai marre! Vous contrôlez tout ce que je fais. Je ne peux jamais travailler en bibliothèque ou avec une amie sous prétexte que «vous allez vous amusez, et puis tu seras seule le jour de l'examen». Juste le droit de gagner de l'argent que vous mettez de côté en disant: «c'est pour toi plus tard». Jamais de distractions avec les amis du lycée parce que leur père gagne plus que le mien et qu'on ne pourra pas rendre. Sabine pleurait. Sa mère lui a dit: «Comment oses-tu dire des choses pareilles alors que ton père et moi faisons tant de sacrifices pour toi?» Sabine s'est enfermée dans sa chambre en criant: «Je n'ai pas demandé à naître, et si ça continue, je quitterai cette sale baraque...» Une heure après, elle est sortie et n'a pas reparu.

A l'heure du dîner, ses parents se sont aperçus qu'elle n'était pas dans sa chambre, ils se sont inquiétés. Chez les trois camarades de Sabine qui habitent l'immeuble, aucune nouvelle. Très ennuyés, ils sont allés chez les voisins téléphoner au lycée où la gardienne n'a pu que leur donner l'adresse de l'assistante sociale. Ils l'ont aussitôt appelée: l'assistante leur a dit qu'elle n'avait pas vu Sabine depuis quelques jours et qu'il n'y avait rien d'inquiétant la dernière fois qu'elles se sont vues. Apprenant que mère et fille s'étaient disputées, au retour du lycée, l'assistante pense que Sabine a dû aller chez une amie – mais laquelle? – Qu'ils essaient de ne pas s'inquiéter. Elle promet de les appeler chez les voisins dès qu'elle aura des nouvelles. Un peu rassurés, les M... ont prévenu le commissariat de police et sont rentrés chez eux à 11 heures du soir, ne voyant plus quelle démarche faire. Ils n'ont pas fermé l'œil de la nuit, essayent de réfléchir à la dispute de tout à l'heure. Finalement, Sabine est rentrée à 6 heures du matin.

POURQUOI?

Les parents de Sabine n'ont pas fait d'études secondaires et ont dû travailler tôt, en menant la vie dure de ceux qui débarquent à Paris sans famille, sans specialité professionelle. Courageux, ils ont maintenant une vie assez aisée. Leur fille va au lycée avec ceux qu'ils appellent «les gosses de riches» du quartier. Elle s'y est fait de bonnes amies, car ses parents l'ont réellement «bien élevée», et ses camarades l'apprécient beaucoup, telle qu'elle est, sans penser une seconde à une différence de milieu social.
Mais M. et Mme M..., eux, se sentent très mal à l'aise vis-à-vis de ces milieux «riches» et reprochent à Sabine le choix de ses amies. Sabine ne se rend pas compte de l'évolution qu'ont dû faire ses parents. Mais peut-on lui reprocher de chercher sa place à elle dans un monde prêt à l'accueillir?

POUR EN SORTIR

Accompagnée par l'assistante sociale Sabine, très confuse, vient de rentrer chez ses parents. Après une première explication dans les larmes, chacun s'est un peu calmé. L'assistante explique à M. et Mme M... que les méthodes pédagogiques ont changé depuis leur temps (travail de groupe, recherches en bibliothèque, réflexion de classe sur un film...). Elle leur suggère de laisser au moins une partie de l'argent gagné par Sabine en baby-sitting: elle est souvent gênée de ne pas avoir un sou alors que ses camarades en ont plutôt trop, il est vrai. Et pourquoi ne pas laisser Sabine sortir de temps en temps avec les amis qui l'invitent? Ne pourrait-elle à son tour inviter quelques camarades? Ce serait à elle de prévoir, d'organiser, de préparer ces rencontres en gérant le petit budget prévu à cette occasion et en mettant à profit ses talents de pâtissière?...
Depuis cette grosse crise, les choses vont mieux chez les M... Sabine n'abuse pas de sa liberté nouvellement acquise, mais est heureuse de pouvoir vivre d'une manière plus détendue. ◊

Record Dossier

j'en ai marre I've had enough
détendue relaxed

— Oh! Chéri, dit la jeune fille, tu ne peux pas savoir combien papa était content quand je lui ai dit que tu étais poète.
— Vraiment? Et pourquoi?
— Tu sais, le dernier de mes flirts qu'il voulait mettre à la porte, c'était un boxeur!

J'ai envie de lire le courrier de ma fille ◊

«Ma fille de 17 ans est tombée amoureuse. Mon mari et moi nous l'avons sermonnée. Pas de relations préconjugales. Elle ne doit pas accepter d'aller seule dans la chambre de celui qu'elle aime. Mais j'ai peur qu'elle ne nous dise pas toute la vérité à ce sujet. Parfois j'ai envie d'ouvrir le cahier où elle note ses pensées personnelles, ou de jeter un coup d'œil sur sa correspondance. J'ai scrupule à le faire. Qu'en pensez-vous?»

Votre scrupule vous honore. Je reste abasourdi quand les parents ◊ m'avouent lire en cachette le journal intime ou le courrier personnel de leurs enfants. Mesurent-ils bien la gravité et les conséquences désastreuses d'un tel acte?

Le secret dont les adolescents entourent ce qu'ils écrivent a pour eux une grande importance. Tant de sentiments bouillonnent en eux! Certains vont à l'encontre de ce que les adultes leur ont appris, de ce que leurs parents désirent. Le monde intérieur qui s'agite en eux les inquiète profondément. Il est si puissant qu'ils ne peuvent l'ignorer. Arriver à exprimer ce qu'ils ressentent leur permet de se délivrer. Ils prennent alors conscience de ce qu'ils sont, indépendamment de ce que les adultes voudraient qu'ils soient. D'autre part, la prise de conscience leur permet de mieux se contrôler et d'apaiser ainsi leur angoisse.

Letter to an 'agony' column

le courrier the correspondence
abasourdi stunned

IL EST TOUJOURS MAL COIFFÉ
CE QUI SE PASSE
Un drame quotidien! Madame S. se plaint avec véhémence: «C'est
incroyable! Christian sème le désordre partout où il passe!
Pourtant nous lui avons fait une belle chambre, pour lui tout seul,
avec un joli papier, de beaux meubles. Qu'est-ce qu'il veut de plus?
C'est un tel bazar qu'on ne peut même pas y faire le ménage...
Par-dessus le marché, il s'installe dans la salle de séjour avec ses
amis. En rentrant du travail, je trouve des disques pas rangés, des
◊ cendriers qui débordent. Alors je crie. Mon mari me dit que je ne
sais pas élever mon fils. Il profite de la présence de son père pour
répondre «Je ne suis pas ton esclave», quand je lui demande de
mettre le couvert. Sa jeune sœur fait tout, en maugréant contre ce ◊
pacha dont elle est jalouse, et le climat familial est empoisonné. Par-
dessus le marché, il s'habille n'importe comment, toujours en blue-
jeans comme les garçons à cheveux longs qu'il ramène à la
maison. Il est toujours mal coiffé et ne veut pas mettre de costume,
même pour le mariage de son cousin... On dirait qu'il prend plaisir
à nous ennuyer...

POURQUOI?
C'est vrai que Christian a de la chance d'avoir une chambre pour lui
tout seul. La source des disputes, est ailleurs. Mme S. fait tout pour
ses enfants et c'est peut-être trop. Cette jolie chambre, Christian
n'en a pas choisi la décoration, et il ne s'y sent pas chez lui. Le
désordre ne le gêne guère. De toute façon, il a l'impression que
c'est une montagne insurmontable dont il ne viendra jamais à bout
et abandonne tout effort. Il sait que sa mère criera, mais rangera à
sa place.
Record Dossier

déborder to overflow
maugréer to grumble ill-humouredly

---

p̓ 'tites zannonces

DOUCEUR. Pascale, tu arrives
comme la douceur du printemps,
le parfum des Lilas, ton cœur est
mien jusqu'à l'infini de la musique,
que le vent apporte. A bientôt petit
ange, maintenant je soupire et je
rêve, la nuit arrive.

RECEVOIR. J'ai 26 ans, sympa,
agréable, ouvert à tout, plutôt
bisexual, cherche jeune fille ou garçon aimant vivre, recevoir et donner, pour lier amitié et plus si tu
veux . . . A bientôt! Bruxelles.

BRUNE? BLONDE OU ROUSSE?
Avoir 28 ans et mourir de ne pouvoir vivre et crever de ne trouver
l'amitié? Mon navire chavire alors
qui sera mon île du dernier espoir.
Que m'importe que tu soyes brune,
blonde ou rousse. Que m'importe
la couleur de ta peau. Je ne vois

que ton doux sourire, et toute ta
tendresse. Jean François.

TIMIDE. Aimerai rencontrer garçon (22 ans) pour sortir le week-
end habitant Paris et région
parisienne. J'ai 19 ans, et suis
timide et réservée. Brigitte.

Extracts from a newspaper's personal columns

CONCUBINS, VOICI VOS DROITS

Dans l'union libre, pas de «jamais»,
pas de «toujours», pas de «contrat».
Premier droit des concubins, donc:
celui de ne pas s'aimer à perpetuité.
Il y en a d'autres. . .

RUPTURE. — Pas de dommages-◊
intérêts au partenaire abandonné,
sauf cas de «seduction» et de faute
caractérisée, recensés avec
parcimonie par la loi. Les cas de
jurisprudence existent mais ils sont
rares.

IMPOTS. — La naissance du premier
enfant et surtout du second fait du
concubinage un mini-paradis fiscal et
liquide le vieil alibi: «*Je me marie à
cause des impôts.*» Le premier
◊ enfant naturel équivaut à une part
entière au lieu d'une demi-part pour
l'enfant légitime.

LOGEMENT. — Si le couple a loué à
ses deux noms, chacun de ses
membres possède un droit
personnel sur le logement et ne peut
être expulsé par l'autre. Si l'un
donne congé, la location se poursuit
avec l'autre. Mais la charge de la
totalité du loyer lui incombe, même
si le déserteur est parti sans
prévenir.

C.D., **Le Nouvel Observateur**

SECURITE SOCIALE. — Les
concubins, depuis le 2 janvier 1978,
peuvent bénéficier de la sécurité
sociale de leur partenaire. Mieux: on
peut garantir simultanément son
époux (ou épouse) légitime et
«l'autre».

ENFANT. — L'action de recherche de
paternité est admise «*dans le cas ou
le père prétendu et la mère ont
vécu ensemble pendant la période
légale de conception en état de
concubinage*». Les parents, même
naturels, ont l'obligation de subvenir
aux besoins de leurs enfants.

ACCIDENT. — Mieux vaut divorcer
avant de prendre la route. Le
concubin est considéré par les
assurances comme un tiers, alors
que le conjoint passager n'est pas
couvert par l'assurance et ne
bénéficie d'aucune indemnisation si
le conducteur est dans son tort et
qu'il n'a souscrit aucune assurance
spéciale.

VOYAGE. — Les concubins notoires
peuvent bénéficier du tarif
«conjoint» d'Air Inter et d'Air France,
et donc partir eux aussi à des prix ◊
de débrouille en voyage de noces. . .

dommages-intérêts legal damages
équivaloir to be equal to
à des prix de débrouille at manageable prices

Le soir, à la chandelle. . .

Les vieillards, à Paris, évitent de prendre le métro aux heures de ◊ pointe, et ils ont raison. Déjà, quand on les recontre à dix heures du matin ou à trois heures de l'après-midi, c'est à peine si on les remarque, rasant les murs dans les couloirs ou s'avançant à pas comptés sur les quais. Et dans les wagons, quand on se lève pour descendre, on s'aperçoit soudain que l'un d'entre eux est resté debout devant nous — depuis combien de stations? — lui avec son béret basque, elle avec son chapeau noir à ruban. C'est que l'œil glisse sur eux sans s'y arrêter. L'œil n'a pas de prise où s'accrocher.

Mais quand on les recontre aux heures de pointe, les vieux, dans le métro, on est obligé souvent de les voir tout simplement parce qu'ils nous gènent, nous, les gens occupés, dont le temps est «précieux», nous qui courons de réunions en rendez-vous. C'est vrai, ils peuvent nous faire manquer une rame qui arrive, bêtement, parce qu'ils hésitent à se faufiler au moment ou le ◊ portillon automatique commence à se refermer. Ils freinent au lieu d'accélérer. Nous restons alors coincés et nous nous retenons de leur dire notre façon de penser. Et puis, de temps en temps, les mauvais jours, il nous arrive de les bousculer gaiement, de passer devant eux d'un coup d'épaule ou encore de les catupulter devant nous sur le quai. En général, ils ont la faiblesse de se taire. Parfois, ils protestent, dérisoirement. Nous n'y prenons pas garde. Dans les meilleurs cas, nous avons une petite honte qui ne dure pas. C'est la vie, qu'est-ce que vous voulez, à Paris.

Mais qui, honnêtement, «voit» les vieux? Si on demandait à un enfant de décrire une personne âgée, il est probable qu'il décrirait son grand-père ou sa grand-mère, cela n'irait pas plus loin. Les enfants, c'est normal, s'intéressent aux enfants; les vieux, sauf s'ils sont de la famille, n'appartiennent pas à leur monde.

Plus tard, les jeunes se regardent entre eux, et c'est encore normal. Les filles de dix-huit ans se comparent aux filles de dix-huit ans, les garçons de vingt ans détaillent les filles de dix-huit ans. Les garçons et les filles se cherchent des yeux et se dévisagent exclusivement. D'ailleurs aucun d'eux ne sera jamais vieux, ce n'est pas imaginable.

Olivier Renaudin, **Le Monde**

heures de pointe   rush hours
se faufiler   to sneak through

AYEZ
L'OBLIGEANCE
DE ME
PARLER
AVEC DOUCEUR
SANS ÉLEVER LE TON
ET SANS
ME CONTRARIER
EN AUCUNE
MANIÈRE

Chez les gens de mon âge, le bruit et la contradiction provoquent des hausses brusques de tension, de l'hyperacidité gastrique, des troubles cardio-vasculaires. . . et je deviens très rapidement désagréable!

Stick Decor 109 © Dorchy

Poster comment on old age

6 Les femmes de France

24 H. DE LA VIE D'UNE FEMME

«Je m'asseois brusquement sur mon lit. Mon cœur cogne fort, un
◊ étau m'enserre les côtes et m'empêche de respirer à fond. Un coup
d'œil sur le réveil. . . Quatre heures! Je sens l'angoisse se dissiper
peu à peu. Ça va. . . je ne serai pas en retard aujourd' hui. Mon
◊ nouveau chef a résolu de me «mater» et j'évite de me faire prendre
en défaut; résultat, depuis quelques nuits, mon sommeil est
troublé par la peur de ne pas l'entendre sonner. J'ai encore deux
heures devant moi. Je devrais essayer de me rendormir sinon je vais
avoir une tête de catastrophe.
Si je pouvais changer de boîte, de vie. . . il faut absolument que
j'emmène Valérie chez le dentiste. J'aurais dû être plus ferme et
l'obliger à porter son appareil, maintenant elle n'ose plus sourire. Je
vais peut-être gagner le concours organisé par la Redoute. . . ce
serait formidable la maison en Bretagne! C'était bien l'été dernier
la Bretagne, les enfants étaient ravis, Stéphane avait plein de
copains. Cette année, il ne faut pas y compter. Nous n'avons pas la
caravane. Valérie a vexé son père en refusant obstinément
d'assister à son marriage avec «Conchita» et, comme je suis
coupable de ne pas l'avoir obligée à y aller, nous serons privés de
caravane. Plus de vacances à la neige. C'est de ma faute si ma fille
ne tombe pas amoureuse aussi souvent que son père et si, à
quatorze ans, elle n'accueille pas «Conchita» avec autant de
sympathie qu'elle en avait manifesté pour Maryse. On essaiera
quand même de s'offrir un week-end dans les Pyrénées. J'ai un
impérieux besoin de retrouver intacte une portion du paysage dont
je me crois propriétaire depuis plusieurs années. C'est là, près du
ruisseau que je construirai mon chalet, je le veux avec une grande

pièce commune, avec une cheminée et des coussins. Il y viendra plein de copains. je ferai du tricot... La sonnerie du réveil m'arrache à ma perplexité. Cette fois c'est l'heure. Je mets la bouilloire à chauffer. Vite, boire une tasse de thé. Le thé c'est mon
◊ vice, mon luxe, ma griserie: thé au cassis, au jasmin, à la pêche, à la rose... Impossible de commencer la journée sans ce rituel. La chienne veut sortir... «Valérie, lève toi, tu n'auras pas le temps de déjeuner.»
Un peu de tonique et de crème hydratante entre deux gorgées de thé brûlant, un peu de rimmel et j'arrête les frais.
Pendant que le lait chauffe, je sors les confitures, le beurre, les biscottes.
«Stéphane, c'est l'heure, dépêche-toi. Tu as fini tous tes devoirs? Il te reste un exercice de grammaire? Ça va être bien fait encore! Viens déjeuner, tu le feras après... je veux te voir déjeuner...»
Dernières recommandations aux enfants: acheter le pain, mettre un pull... La chienne a repris sa place dans le lit de Stéphane. Je sors de la maison. Cinq minutes de marche me séparent du bureau. Cinq ans que je fais ce chemin du même pas pressé. Dans le hall, j'ignore superbement la machine-pointeuse. Je grimpe l'escalier en courant, je suis presque à l'heure. Mes collègues sont là, inactifs, mais ponctuels. Ils commenceront à prendre un air affairé quand le chef manifestera sa présence dans le bureau à côté. En attendant ça discute tiercé et loto. Factures, bons de commande, fiches de stock, téléphone... c'est parti. J'ai le bonheur d'apercevoir un coin de ciel bleu, des nuages qui se promènent. Je travaille vite. Entre deux factures, je complète une feuille de maladie qui traîne dans mon sac.
Midi! Je me hâte vers la «liberté». La maison, mon refuge! La chienne me fait fête, les enfants ont mis le couvert, le transistor débite ses litanies habituelles. «Maman, t'as du courrier.» Sélection m'envoie la carte grise de la 20 GTL que j'ai (peut-être) gagnée; un avertissement de la bibliothèque municipale m'apprend qu'une plainte pour vol sera déposée contre moi si je ne rends pas dans les plus brefs délais «Alice et le tiroir secret» que mon fils a emprunté en avril dernier; Yves Rocher m'invite à participer à la ronde des fleurs. Mon relevé de banque ne m'encourage pas à la prodigalité. Les steaks grésillent dans la poêle pendant que je prépare la pâtée de la chienne. J'avale en hâte un morceau de pain pour calmer ma faim. En un quart d'heure, le repas est englouti. La vaisselle faite, je ◊
◊ repars en croquant ma pomme dans la rue, pour un après-midi en tous points semblable à la matinée. 17 h 30 – Je quitte mon rôle obscur d'employée-de-bureau-temporaire-sous-contrat pour celui de Chef de famille. Après un slalom entre les rayons du supermarché, heureusement proche de mon domicile, je rentre les bras chargés de victuailles.
Fête de la chienne, air intéressé des enfants à la vue des Danino.

«Maman, tu me feras réciter mon anglais?» Pendant que cuisent les spaghetti, je mets le linge dans la machine à laver. Maman, j'ai rien compris à mon problème de math, tu m'aides?»

Stéphane s'installe devant la télé et a déjà oublié sa leçon d'anglais.

Nous mangeons rapidement et, le couvert débarrassé, je me plonge dans le livre de math de ma fille pour tenter de comprendre le langage des mathématiques modernes, ça me mène vers les 9 heures et je n'ai pas appris grand-chose.

Il me reste la vaisselle à faire, la cuisine à ranger, la lessive à sortir de la machine et à étendre.

Malgré leurs protestations, j'expédie les enfants au lit et calcule qu'en faisant une toilette rapide je pourrais avoir mes sept heures de sommeil. Je repasserai mon chemisier demain matin. Ce soir, je n'en ai pas le courage...»

Marie-Claire

un *étau*   a vice
mater   to bring to heel
griserie   excitement
englouti   devoured
croquer   to munch

Déjeuner du matin

Il a mis le café
Dans la tasse
Il a mis le lait
Dans la tasse de café
Il a mis le sucre
Dans le café au lait
Avec la petite cuillére
Il a tourné
Il a bu le café au lait
Et il a reposé la tasse
Sans me parler
Il a allumé
Une cigarette
Il a fait des ronds
Avec la fumée
Il a mis les cendres
Dans le cendrier
Sans me parler
Sans me regarder
Il s'est levé
Il a mis
Son chapeau sur sa tête
Il a mis
Son manteau de pluie
Parce qu'il pleuvait
Et il est parti
Sous la pluie
Sans une parole
Sans me regarder
Et moi j'ai pris
Ma tête dans ma main
Et j'ai pleuré.

Jacques Prévert, **Paroles**, Editions Gallimard

Les fausses dures ◊

La scène se passe chez un petit bijoutier du quatorzième arrondissement, qui semble avoir l'âge des anciennes pendules qu'il ré-
◊ pare. Tout en les auscultant, il leur parle à mi-voix, les félicite, les encourage, un peu comme on flatte un cheval. Ses journées s'écoulent sans histoires sur fond de tic-tac qu'interrompt régulièrement le refrain du carillon de Westminster.

Juste après 6 heures, un vacarme épouvantable fait trembler la vitrine et sursauter notre bijoutier. On dirait qu'un avion supersonique remonte la rue pour s'arrêter pile ◊ devant le magasin. En réalité, il s'agit de deux énormes motos — au moins 750 cm^3 — dont descendent deux «martiennes» caparaçonnées de cuir noir, une chaîne d'acier accrochée à l'épaule droite, chaussées de bottes de sept lieues. . . Elles poussent la porte, retirent leur casque, se dirigent vers le vieux monsier, et, sans bonjour ni bonsoir, lui demandent:

— *Vous percez les oreilles ici?*

— Bien sûr, répondit-il d'une voix mal assurée, un œil sur la caisse, l'autre sur les montres-bracelets, les médailles de communion exposées sur un présentoir. Avec tous les hold-up qu'on voit dans le quartier! Mais, au lieu de sortir une arme de son blouson, une des amazones en extrait un sachet de papier de soie et lance sur le comptoir deux petites croix brillantes.

— *C'est pour ça, dit-elle. Une pour chacune.*

Subjugué le bijoutier murmure: «*Si voux voulez bien me suivre*» et les invite à l'accompagner dans l'arrière-salle, où il a l'habitude d'effectuer ce genre d'opération. La première candidate subit l'intervention sans broncher. Vient le ◊ tour de sa compagne. Elle s'installe sur la chaise, le bijoutier se penche sur elle, ordonne: «*Ne bougez plus!*» et, presque aussitôt, se retourne stupéfait, pour annoncer:

—*Elle s'est évanouie!*   ◊

L'amie se précipite. Des claques ◊ retentissent. La fragile motarde retrouve ses couleurs et sa voix.

— *C'est le sang, soupire-t-elle. Je ne supporte pas la vue du sang.*

— *Et où est-ce que vous en voyez?*, s'indigne le vieux monsier. *En quarante ans de métier, je n'en ai jamais verser une goutte. J'ai percé les oreilles de gamines de cinq ans, et elles n'ont pas bronché.*

◊ Penaudes, les amazones tendent un billet de 10 francs, refusent la monnaie et se retirent, l'une soutenant l'autre. Pas question de remonter immédiatement sur leurs bolides. A petits pas, elles se dirigent vers le café du coin.

Témoin de cette scène, ayant apporté dans le magasin un réveil-matin paresseux, je m'esclaffe. On ◊ joue la terreur sur les routes, et on tourne de l'œil à la moindre piqûre. ◊

Gabrielle Rolin, **Le Monde**

---

dures toughs
ausculter to listen
s'arrêter pile to stop dead
broncher to flinch
s'évanouir to faint

claques slaps
penaudes crestfallen
s'esclaffer to burst out laughing
piqûre prick

Les sages, les folles et le démon des soldes

Il y a deux races d'acheteuses de soldes: les sages et les folles. Les premières connaissent les boutiques qui conviennent à leur style, ◊ repèrent les modèles des mois à l'avance et se ruent dès les ◊ premiers jours pour acheter à bon compte ce qu'elles auraient choisi de toute façon si elles avaient pu payer le prix fort.

◊ Les secondes fouinent au hasard, franchissent des seuils inconnus, perdent du temps pour s'offrir au rabais des fantaisies qu'elles ◊ n'auraient jamais osé satisfaire à prix plein.

Les sages dépensent généralement plus d'argent que les folles, mais c'est de l'argent bien placé. Aussi se vantent-elles de leurs acquisitions, sûres de se faire féliciter pour leurs réussites «qualité-prix».

Christian Collange, **Elle**

repérer to locate
se ruer to rush
fouiner to ferret about
au rabais at reduced prices

PUBLICIS T 79/155

ACHETÉ SANS ÊTRE ESSAYÉ : ÉCHANGÉ OU REMBOURSÉ.

Désormais, lorsque l'essayage n'est pas proposé s'agissant des chaussures et des vêtements de dessus, une possibilité d'échange dont les conditions seront fixées par le commer-cant, sera offerte au client.
C'est un des nombreux points de l'engagement du com-merce, pour de nouveaux rapports avec le consommateur.

F-77

Conseil National du Commerce

ENGAGEMENT DU COMMERCE

Chamber of commerce advertisement

la vie répond

AUX FEMMES SEULES

Matériellement c'est dur. Moralement encore plus.

« Femmes seules», cette expression recouvre des réalités bien différentes: les veuves, les divorcées ou séparées, les célibataires jeunes ou âgées, avec ou sans enfants. . .
Certaines se suffisent à elles-mêmes normalement, grâce à un salaire, une pension ou une ◊ retraite. Mais c'est aussi dans cette catégorie de personnes qu'on trouve le plus grand nombre de cas de détresse (après les vieillards), notamment chez les femmes abandonnées avec plusieurs enfants. Or six millions d'enfants sont élevés par des femmes seules. . .

Les aides auxquelles les femmes seules ont droit sont pratiquement nulles si elles n'ont pas d'enfant. En cas de divorce ◊ une pension alimentaire n'est accordée que si le divorce est prononcé au profit de l'épouse, et selon les ressources. Dans les divorces «à l'amiable» il faut un accord sur ce point.

Beaucoup de femmes divorcées ignorent que, même si elles n'ont pas réclamé de pension au moment du divorce elles peuvent la demander plus tard, au besoin plusieurs années après. Mais elles doivent prouver que l'état de besoin où elles se trouvent alors est une conséquence de la rupture du lien conjugal.

Il existe une autre pension dite « indemnitaire» qui peut être demandée au moment du divorce, en réparation du ◊ préjudice subi par la femme. Le juge peut attribuer un capital, ou une pension. La femme divorcée, même si le divorce est prononcé à ses torts, peut demander des dommages et intérêts pour les éventuels ◊ «méfaits» du mari.

Le concubinage — de plus en plus fréquent — laisse la femme abandonnée sans protection juridique. Elle doit alors faire face à une action judiciare incertaine.

Grâce notamment à l'action de leurs associations et organismes de défense, la situation des veuves est actuellement moins difficile. Mais les jeunes veuves, et celles qui doivent se mettre ou se remettre au travail tardivement rencontrent encore de gros problèmes.

L'aide sociale aux femmes seules n'est pas automatique. Et souvent les bureaux d'aide sociale la refusent: «elle peut travailler». Pour attendre un premier salaire, pour prendre un logement, rien n'est prévu. Les premières semaines sont pourtant les plus décisives. L'absence d'un «fonds d'urgence» oblige les femmes à avoir recours à l'entraide ou bloque leur réinsertion.

De même, les aides aux enfants sont généralement attendues trop longtemps: tout enfant dont un des parents est «absent» (divorcé, séparé, décédé, inconnu, etc.) a droit à l'allocation orphelin, et à l'allocation «d'aide sociale à l'enfance» (ou «enfant secouru»). Sa mère touchera également l'allocation de salaire unique et, éventuellement, l'allocation logement et l'allocation pour frais de garde. Il faut malheureusement plusieurs mois pour les obtenir.

Avant la naissance il n'existe pas d'aide spécifique pour les future mères, sauf le placement, les derniers mois, en maison maternelle. Elles touchent comme les autres les allocations prénatales et, si elles ont travaillé, les indemnités journalières correspondent au congé maternité. . .

Une nouvelle loi prévoit d'assurer à tout «parent isolé» un minimum de ressources pendant un an après la séparation ou le veuvage.

Reste qu'avec les difficultés matérielles le gros problème des femmes seules est psychologique: la solitude, la «mise à l'ecart» de la société, le besoin affectif sont, chez toutes, durement ressentis. . .

Pour les aider, nous tenons à la disposition de nos lectrices une liste d'adresses utiles. La demander à «La Vie répond», en joignant une enveloppe adressée et timbrée.

F. de Lagarde, **La Vie**

une retraite retirement pension
une pension alimentaire alimony
préjudice injury
méfaits misdeeds

La discrimination sexuelle

La loi votée en 1975 outre-Manche contre la discrimination sexuelle n'est pas restée lettre morte auprès de nos voisines britanniques. Celles qui avaient toujours rêvé d'embrasser des carrières strictement masculines ont pu sans tarder rejoindre leur poste. C'est ainsi qu'une jeune fille de dix-huit ans est devenue assistante conductrice d'un train et que deux femmes qui cherchaient du travail aux docks de Chatham se sont vues engagées comme un seul ◊ homme au poste de «grutière» au chargement et au déchargement des bâteaux.
Barbara Williams, ancienne conductrice de bus, devenue instructrice, a déjà formé une trentaine de conducteurs hommes. La très respectable Confédération britannique de l'industrie a, de son côté engagé la première femme à la Direction du service informations. Enfin les compteurs anglais sont désormais vérifiés par des «ouvrières du gaz», tandis que l'avenir proche verra se profiler, parmi le smog des corrons, la silhouette des premières femmes allant au charbon.
En France, si un loi analogue fut votée la même année, elle est loin de bénéficier de la même application. Faudra-t-il que les femmes «entrent dans la carrière lorsque leurs ainées n'y seront plus?»
Marie-Claire

grutière   female crane driver

Le femme jugée «voleuse d'emploi»

«Les femmes qui travaillent n'ont qu'à rester chez elles, ça fera davantage d'emplois pour les hommes et pour les jeunes».
   Madame G., mère de deux enfants, a de bonnes raisons pour être aussi catégorique: son mari, agent commercial dans le bâtiment, ◊ est au chômage depuis quatre mois. L'ambiance se dégrade à la maison. Le mari fait de la dépression nerveuse. Madame G. est à bout de nerfs. On la comprend.
   Reáction extrême? En cette période de difficultés économiques et de crise de l'emploi, beaucoup ne sont pas loin de penser que ◊ renvoyer les femmes à leurs fourneaux serait après tout une bonne solution pour tout le monde. Dans une récente déclaration, le 28 septembre M. Beullac, ministre du travail, a lui-même déclaré: *«Il*

me semble que si la mère de famille peut rester à la maison, c'est une bonne chose. Autant l'homme a vocation fondamentale de travailler dans les usines et les bureaux, autant une partie de la vie de la femme peut se passer ailleurs». Il a, depuis, nuancé sa position.

Dans une enquête publiée en juin, 54% des personnes interrogées estimaient qu'une femme qui n'avait pas vraiment besoin de son salaire pour vivre était, en quelque sorte, en cette période de chômage, une «voleuse d'emploi». Les femmes étaient plus nombreuses que les hommes à soutenir ce point de vue. En revanche, une majorité de jeunes assurait que toute personne qui veut travailler doit pouvoir le faire. Sinon, pourquoi les filles continueraient-elles leurs études? Et pourquoi les adultes qui critiquent le travail des femmes tiennent-ils cependant à faire apprendre un métier à leurs filles?

Le droit au travail des femmes a beau être inscrit dans la Constitution, il ne semble pas encore l'être dans toutes les mentalités. Et cela s'explique: «*Déjà avant 1914–1918*, raconte Evelyne Sullerot *dans certains milieux, les femmes qui travaillaient n'étaient pas reçues avec les autres. Il y avait un jour de réception particulier pour elles. On les considérait un peu comme une race à part. Il est vrai qu'à cette époque, elles étaient en grande majorité des rurales et des domestiques.*

»Peu à peu, cette réprobation contre les femmes au travail s'est
◊ *atténuée. On a commencé par accepter que les veuves aient une activité professionnelle, puisque le mari n'était plus là. Puis on a consenti à ce que les jeunes filles prennent un emploi, jusqu'à leur mariage. Ensuite, ce sont les femmes sans enfants qui n'ont plus été montrées du doigt parce qu'elles travaillaient. Depuis quelque temps, on admet volontiers qu'une femme dont les enfants sont déjà grands, puisse souhaiter retravailler. Dans ce domaine, l'évolution des mentalités est très lente».*

Denise Gault, **La Vie**

au chômage   unemployed
fourneaux   cookers
s'atténuer   to lessen

UNE FEMME COMME MOI?

L'autre jour. dans une petite rue près de Beaubourg, une voix de
femme m'a interpellée: «Madame! Hé! Madame!». Je me suis
retournée et me suis trouvée face à une grande blonde, vêtue d'un
short de satin, d'un collant noir et de hautes bottes. «Vous perdez
votre ceinture», m'a-t-elle dit. Je l'ai remerciée, et ai ramassé la
ceinture de mon imperméable, puis j'ai poursuivi mon chemin. Mais
j'avais le cœur qui battait, et le cours de mes pensées était
dérangé par cet échange. Sans me l'expliquer, j'étais touchée,
troublée. Je me demandais si j'aurais moi, appelé cette femme avec
tant de naturel, si j'aurais pu, moi, voyant cette prostituée perdre un
objet, lui dire «Hep, Madame. . .». Me serais-je adressée à elle, en
plein travail sous le ciel gris de Paris, par ce triste après-midi
pluvieux, avec la spontanéité dont elle avait fait preuve à mon
égard? Je me sentais étrangement honteuse, moi, l'honnête
◊ femme, vertueuse passante, sanglée dans mon imperméable, je me
sentais honteuse et coupable de ségrégation malgré moi. Malgré
moi et malgré mes «idées larges», car je ne pense rien de la
prostitution. Je défie toute femme d'affirmer qu'elle n'a jamais rêvé
de se faire payer pour coucher avec un homme, et je suis persuadée
qu'il y a chez tous et chez toutes, parmi d'autres personnages
endormis, une putain qui sommeille. Mais il me suffit de savoir
qu'elle est là: l'idée de la réveiller ne me passionne pas. La
libération sexuelle passe par d'autres biais et d'autres défis, tout
aussi douloureux mais moins grinçants. Le plus vieux métier du
monde n'est sans doute pas un métier comme les autres, mais
celles qui le pratiquent sont évidemment des femmes comme les
autres. . . des femmes comme moi.
Une femme comme moi, cette gentille blonde à la voix grave?
«Vous perdez votre ceinture. . .» Elle m'avait parlé, l'ombre adossée
au mur, elle avait remarqué que je perdais ma ceinture, cette
créature déguisée, à la fois ostensible et camouflée, et elle me
l'avait signalé. Une femme comme moi. J'y pensais encore dans le
métro, j'avais envie d'aller la retrouver, de prendre un café avec
elle. Pour lui dire quoi? Pour apaiser quelle culpabilité? Je m'étais
sentie d'une force odieuse, moi qui ne m'exposais pas et qui
n'attendais personne, sur ce trottoir qui était son lieu de travail. Je
◊ faisais partie des nanties, des intrégrées, donc des oppresseurs;
comme si la force de ma vie entraînait la faiblesse d'une autre vie,
et que cette blonde qui m'avait évité de perdre ma ceinture,

franchissant la distance entre nous, me signifiait par ce geste qu'elle ne m'en voulait pas d'avoir pris sa place dans la société tandis qu'elle occupait sur le trottoir une place qui aurait pu être la mienne.

Geneviève Jurgensen, **Elle**

sanglée wrapped
nanties the well provided for

ILS OU ELLES CONTRACEPTENT
la France s'interroge

C'est le 14 février 1975 que la contraception put être enfin considérée comme un acte médical banal remboursé par la Sécurité Sociale. Pas gratuite pour tout le monde quand même, ce serait trop beau. Toujours à la pointe du progrès, la France par l'intermédiaire de ses élus, permettait enfin à la femme de ne pas mettre systématiquement au monde la ribambelle de bambins que ◊ ses possibilités physiques offraient pourtant.

Parce que faire l'amour était, il n'y a pas si longtemps, uniquement synonyme de reproduction de l'espèce, un peu comme en sciences naturelles où l'on apprenait que les animaux lorsqu'ils sont en chasse se reproduisent et font automatiquement de nombreux petits. . . Les mœurs évoluant, l'on découvre que les êtres humains réfléchissent, pensent, veulent décider de donner la vie ou pas, l'on découvre que s'aimer sexuellement n'a pas pour unique fonction celle de faire des enfants. Nous sommes quelques uns à être nés sans avoir été tout à fait franchement desirés. . . A quand les statistiques sur les «bébés Ogino», du nom de la célèbre méthode contraceptive connue pour son inefficacité répétée?

67% «contraceptent»

Déjà quatre ans donc que les lois ont entériné ce désir (pour les ◊ femmes du moins) de régulariser les naissances, de pouvoir CHOISIR. L'anniversaire s'est déjà annoncé de manière tonitruante. ◊ Les statistiques s'alignent dans les journaux. On se perd dans le genre de questions: «La pilule s'est-elle perfectionnée ces dernières années?». Avec propositions de réponses: **«Plus au point»**, **«Aussi au point»**, **«Moins au point»**. Personne, c'est bien évident, n'a les éléments pour le dire. Les magazines «Parents», «Elle», le très sérieux Institut d'Etudes démographiques, interrogent, questionnent: **«Où va la contraception? Où en sommes-nous?»**.

Selon l'I.N.E.D., qui a vu 3 000 femmes de 20 à 44 ans, 67% utilisent une méthode contraceptive, mais seulement 36% la pilule ou le stérilet. 17% continuent à subir la methode dite du «retrait»,

5% en sont restées à Ogino (voir plus haut) et 5% utilisent des préservatifs masculins. La grande majorité aspire toujours de plus en plus à être informée.

Si, en effet, les journaux parlent maintenant souvent de contraception, voire d'avortement, les femmes commencent à s'interroger sur les inconvénients des différents moyens. Or bien peu de médecins prennent le temps d'expliquer ces inconvénients et encore moins le choix de contraception que lui-même propose. Pourquoi donner une pilule séquentielle plutôt, qu'une mini-pilule, par exemple? On a plus souvent l'impression que cette décision fait partie du domaine du hasard plutôt que de la rigueur scientifique. Pourquoi un stérilet? Souvent pas d'explication. Quand on sait que d'énormes laboratoires pharmaceutiques contrôlent la vente des pilules, on peut se demander si la «préférence» n'est pas induite par des considérations très bassement commerciales.

Antirouille

ribambelle de bambins swarm of kids
entériner to ratify
tonitruante thundering

Une belle poitrine

C'est le désir secret ou avoué de chaque femme et seulement une femme sur vingt s'occupe de la beauté de son buste. Toutes les autres se contentent des artifices, très au point qui donnent une impression favorable. Les seins sont le symbole même de la féminité et leur beauté constitue un élément important du corps féminin. Votre buste mérite toute votre attention et pourtant il est le plus souvent oublié dans les soins de beauté de chaque jour.

Oufiri est un traitement esthétique pour les seins, agréable et rapide à appliquer par vous même. Il ne prend que quelques instants. Ouffri est composé en particulier d'extrait d'écorce de palétuvier rouge importé d'Afrique.

Appliquée régulièrement pendant 15 jours, la **CREME TALIKA** fera pousser vos cils en leur rendant toute leur vitalité et leur souplesse. En vente en parfumeries, pharmacies et dans les grands magasins ou par correspondance (si vous ne le trouvez pas dans votre ville) en écrivant à:

DANIELLE ROCHES

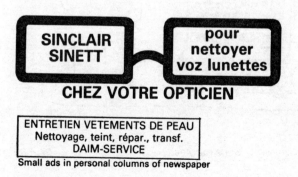

SINCLAIR SINETT

pour nettoyer voz lunettes

CHEZ VOTRE OPTICIEN

ENTRETIEN VETEMENTS DE PEAU
Nettoyage, teint, répar., transf.
DAIM-SERVICE

Small ads in personal columns of newspaper

7 Pour le meilleur et pour le pire

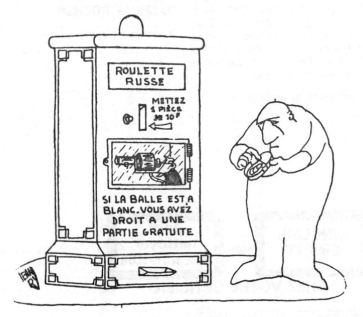

Sans paroles.   *Jean By*

Le mariage à l'essai ◊

44% des jeunes couples ont choisi le mariage à l'essai. Ils vivent en cohabitation. On a peu prêté attention à ce phénomène. Il s'est pourtant étendu à une allure surprenante. Voici pourquoi.

Ils ne s'accordent pas avec le décor pompeux de la salle des mariages de la mairie du VIe. Sur fond de tentures solennelles, bluejean et blouson de cuir pour le marié, la mariée, légère et court vêtue, ayant mis ce jour-là, pour être à l'aise, cotillon simple et souliers plats. Leur oui a résonné gaiement. Puis, avec nonchalance, ils ont descendu le grand escalier face à Saint-Sulpice. Une petite fille a sauté les marches deux à deux. *«Doucement»*, a dit la mariée. Le marié porte dans ses bras un petit garçon de 4 ans. Dans quelques heures, ils partiront en voyage de noces dans la voiture enrubannée. Mais ce voyage, ils le feront en famille, car ces nouveaux époux ont . . . dix ans de vie commune et deux enfants.

◊ Ces quatre-là illustrent la rengaine inversée des contes de fées. «Ils eurent un ou deux enfants, ils se marièrent et furent heureux.» Depuis une dizaine d'années, des couples, en nombre croissant, négligent de *«graver leur nom au bas d'un parchemin»*; ils n'y consentent parfois qu'à la naissance d'un enfant. On les appelle des «cohabitants».

Le phénomène est apparu brusquement. Et il s'est étendu à la même vitesse. *«Tout à la fois,* constate Louis Roussel, de l'Ined (Institut national des études démographiques), *la cohabitation a cessé d'être statistiquement marginale et socialement répréhensible.»* Certes, cette pratique est inégalement répartie (4% d'agriculteurs, 30% d'ouvriers, 21% d'employés et 13% de cadres), mais elle se répand d'une manière spectaculaire.

Ce non-conformisme, plus répandu chez les ouvriers, n'est pas une idée neuve dans cette classe sociale. Au temps de Zola, Gervaise et ses sœurs «se mettaient en ménage». Et, du temps de Marivaux, les laquais du XVIIe siècle proposaient pareillement aux soubrettes de se marier «sans cérémonie». Comme souvent, c'est à la fois chez les aristocrates et dans la classe ouvrière que l'on trouve
◊ la plus fréquente désinvolture pour les institutions.

Mais voici que ce non-conformisme s'étend. En 1968, 17% des couples avaient «cohabité», si l'on peut dire, avant de se marier. En 1978, ils étaient 44%. Il fallait donc inventer un nom pour cette façon de vivre à deux. Mariage à l'essai? Oui et non. Non, parce qu'il n'y a pas nécessairement mariage au bout du compte. Concubinage? Le mot est péjoratif. Union libre? Il est inexact. Les spécialistes de l'Ined choisissent finalement le terme triste et administratif de «cohabitation», sèche formule venue de Suède, ou 99% des couples mariés ont pratiqué auparavant le test conjugal.

A peu près admise à Paris et dans les grandes villes, la cohabitation rencontre encore des résistances en province, et particulièrement dans les milieux ruraux. Parfois, elle provoque des drames. Le 5 juillet, une jeune fille de 18 ans, Maria Pelliteri, de Coublevie (Isère), est morte pour avoir voulu vivre avec un homme contre l'avis de son père. Celui-ci l'a tuée.

Hors ces Capulets de la tradition, on peut déceler quatre types de ◊
◊ réactions. D'abord, l'hostilité foncière: 8% seulement des parents cherchent à s'opposer à la décision de leurs enfants. Ensuite, la désapprobation sans interdit: 36%. Attitude moins sévere: la non-intervention, pratiquée par 37% d'entre eux. Le père de Christian (21 ans) appartient à cette catégorie: *«J'ai enseigné certains principes à mon fils. A lui d'en décider l'usage.»* Ce fils, qui est aide-cuisinier, vit depuis un an avec Annick, 19 ans, sans profession. Ils attendent un enfant; alors, ils se sont mariés la semaine dernière, à Brest. Il y a enfin l'approbation bienveillante accordée par 11% des parents. *«J'ai un peu tiqué,* avoue la mère d'un   ◊
garçon de 21 ans, charcutier à Lorent. *Dominique ne me paraissait pas assez mûr. Mais, finalement, je me suis dit que c'était normal. Tant d'autres jeunes font comme eux!»*

Car, il est vrai, les parents son soumis à un chantage affectif plus ou moins conscient. *«Ils savent bien,* explique Louis Roussel, *qu'un comportement différent entraînerait une brouille. Aussi préfèrent-ils fermer les yeux. Et tant pis pour les grands-mères, dont, hier, l'opinion importait tant!»* Encore que l'on ait vu Louise Weiss (86 ans et demi), cette grand-mère de l'Assemblée européenne, s'écrier, parlant de la natalité l'autre semaine à Strasbourg: *«Au train où vont les couples, il n'y aura bientôt plus d'Européens!»*

C'est qu'il faut les comprendre, ces parents. Eux, ils ont vécu d'une autre façon. Et le mode de vie de leurs enfants les amène à s'interroger sur la signification de leur propre mariage. «Qu'ai-je fait pendant vingt ans?, soupire cette ménagère venue consulter une conseillère conjugale. Ma maison n'aurait-elle été qu'un snack-bar, et moi, la barmaid?» Ainsi la cohabitation des enfants apparaît à certains comme une mise en cause des parents. Et il est vrai que les enfants la présentent volontiers de cette façon-là. Les parents forment-ils un couple heureux? On leur dira: «*Le mariage n'est pour rien dans votre bonheur*» On leur répond: «*Nous ne répéterons pas votre fiasco, car vous êtes des divorcés qui s'ignorent.*»

Marie-Thérèse Guichard, **Le Point**

à l'essai   trial
rengaine   old refrain
désinvolutre   lack of deference
déceler   to show, to reveal
foncière   deep-seated
tiquer   to show disapproval of

MARIAGE SANS ESSAI

Nous apprenons avec plaisir le mariage de Mlle Sylvie Venot, fille de M. Edmond Venot et de Mme. née Germain, avec M. Luc Masson fils de M. Robert Masson et de Mme Henriette Masson.

Ils s'uniront par le sacrement du mariage ce samedi 21 juin, à 17 heures, en l'église Sainte Emilie-de-Vialar.

Nos vœux de bonheur et de prospérité aux jeunes époux et nos compliments aux parents et grands-parents.

Mariage pas exclu

H. 56 a., div.. 1.74 m, 65 kg. brun, P.-D. G. mélomane, très dynamique, sportif, ski, équitation, aviation, tennis, chasse, natation, alpinisme, vacances 3/4 ski intensif 1:4 mer, week-ends campagne, montagne, mer. Couche tôt, lève tôt, allergique aux villes et distractions citadines aime campagne soirées coin du feu, cinéma, T.V., très gai, sensuel cherche compagne 20 à 45 ans, jolie, mince, gaie, tendre, goûts en rapport pour liaison dont intimité durée issue dépendront sentiments résultant mariage pas exclu. Photo indisp, sera renvoyée ainsi que lettre, téléphone souhaité, discrétion assurée.
Ecrire journal.

— J'ai été mariée trois fois, je peux vous en parler ... Vous verrez, à la troisième ou quatrième fois ça ne vous fera plus rien.

André Vigno

se marier
est une affaire sérieuse :
c'est pour la vie.

Nos grands-parents n'avaient pas tout à fait tort.
Ils avaient compris qu'un bon mariage reposait
sur des bases solides, sur des affinités communes.
  Mais depuis, les temps ont changé
et nous avons mis à profit toutes les techniques
modernes pour réaliser des études personnalisées
permettant une orientation sérieuse.
  Nos conseillers orienteurs
sont là pour vous
guider en fonction
de vos affinités
et de vos espérances.

REWILL
Conseiller matrimonial.

Présentation dans nos salons

Service « Correspondance » - Renseignements gratuits

Advertisement for marriage guidance bureau

une orientation guidance

Je n'ai jamais osé lui avouer

«Voilà plus de 25 ans que je connais celui qui est devenu mon mari. J'ai accepté le mariage sans amour, par timidité, en allant contre ma volonté et contre celle de mes parents. Depuis, je n'ai jamais fait la vérité avec mon mari. Je n'ai jamais osé lui avouer que je ne l'aimais pas. Pourtant, je ne voudrais pas l'abandonner. Ni mon enfant non plus. J'en aurais trop de honte. Maintenant, je suis prise de remords. Je vis dans le mensonge. Je crains de m'être à jamais séparée de Dieu. Comment retrouver la paix avec Dieu et avec moi-même?»

— Pourquoi vivez-vous sous l'emprise de la peur? Peur de dire la ◊ vérité, peur d'abandonner votre famille, peur d'être rejetée par Dieu. Quelle existence cette peur vous fa.t-elle mener?

En m'écrivant, vous avez déclaré la guerre à la peur. Vous étiez prisonnière. Vous voulez vous délivrer. Cette volonté de vous en sortir vous réconcilie avec Dieu. Dieu ne vous en veut pas. Il vous attend. Il attend que vous entriez avec toutes vos forces dans son projet. Aimer et servir ceux qui vous entourent comme Jésus de Nazareth a aimé et servi les hommes de son temps.

C'est donc en brisant le mur du mensonge qui vous sépare de votre mari, en faisant la paix avec lui, que vous ferez aussi la paix avec Dieu et avec vous-même.

◊ Comment instaurer une relation vraie avec votre mari? En lui disant qui vous êtes réellement, ce que vous sentez, les difficultés que vous éprouvez. Bref, en lui expliquant tout ce que vous m'avez écrit. Peut-être vous sentez-vous incapable de l'affronter face à face? Je vous conseillerais alors de lui écrire. Vous pourriez engager le dialogue à partir de là.

Letter to magazine

l'emprise   the grip
instaurer   to set up

MON PATRON
EST AUSSI MON
MARI

Le boulanger la boulangère; l'épicier et l'épicière; le boucher et la bouchère. . . Le commerce se récite sur le mode conjugal de même que l'artisanat. Monsieur est sur le chantier ou à l'atelier. Madame au bureau ou à la caisse.

Pour beaucoup de ces couples, travailler ensemble est une nécessité.

◊ *— Vous voyez la tête d'une comptable ou d'une secrétaire si je lui demandais de passer l'aspirateur en arrivant! dit Pierre T. . ., chauffagiste, installé à son compte depuis peu. Quand on débute on ne peut pas se payer un personnel nombreux: avec Josette, ma femme, nous avons démarré avec un téléphone et une vieille table en guise de bureau. Elle a appris à taper à la machine en attendant les clients, ce qui ne l'empêchait pas de garder notre fille. Nous étions déjà endettés pour acheter un camion et du matériel. J'avais un ouvrier et un apprenti. S'il avait fallu embaucher une ◊ personne de plus, avec les charges, on n'y serait pas arrivés. . .».*

— Au début, ajoute Josette, j'ai travaillé à mi-temps, ce qui est très appréciable quand on a un enfant petit. Le téléphone était branché soit sur l'appartement soit sur le «bureau», une pièce près du garage. Je m'organisais comme je voulais pour le courrier, les ◊ *devis, les factures, la paie.*

» Nous avons un comptable qui vient deux jours par mois et, petit à petit j'apprends le métier. Chez un patron, jamais je n'aurais pu travailler ainsi.

»L'ennui, évidemment, c'est que je ne suis pas payée. Mais, si tout va bien, l'année prochaine on sera moins juste financièrement. Alors je resterai au bureau, mais je pourrai prendre une femme de ménage.»

Les M. . ., déménageurs dans la banlieue parisienne, ont commencé comme Pierre et Josette. L'entreprise a prospéré et le travail ne manque pas.

— Le risque, pour un couple qui travaille ensemble, dit Nicole, c'est de ne pas pouvoir se détendre, parler d'autre chose. Le travail, pour nous, ce n'est pas seulement au travail, mais pendant les repas,

le soir, jusque dans notre lit! «Tu as pensé à téléphoner?». «Il faut prévoir un homme en plus pour jeudi». «La banque voudrait que tu passes», etc.

«On n'arrête jamais. On a beau essayer de faire attention, se dire qu'on va parler d'autre chose, ne pas téléphoner. Cette année on a pris huit jours de vacances et là, on a vraiment pu se reposer, discuter, oublier les soucis.»

Complices, associés, collègues, rivaux parfois, les hommes et les femmes que j'ai rencontrés considèrent la bonne entente comme un élément de leur capital et une nécessité commerciale:

»Cela ferait mauvais effet de se disputer devant les clients». «Une affaire où les patrons ne s'entendent pas, on ne lui fait pas confiance. Les employés s'en vont, on en profite.» Mais, baissé le rideau de fer, refermé le livre de comptabilité, le boucher et la bouchère, le teinturier et la teinturière, l'hôtelier et l'hôtelière vivent-ils les mêmes joies et les mêmes difficultés que les autres couples?

Sans doute. Mais, parce qu'ils sont tôt levés, tard couchés, sans dimanche, souvent sans congé, beaucoup considèrent comme me l'a dit une femme d'artisan que s'occuper des problèmes de couple *«c'est un luxe de salariés».*

F. de Largarde, **La Vie**

aspirateur   vacuum cleaner
embaucher   to take on
devis   estimates

Marie Dupont je suis née, Marie Dupont je pensais rester. . . Mais je me suis mariée.

Pendant vingt ans, j'avais cru m'appeler . . . disons Marie Dupont.
Un nom ni plus joli ni plus original que des milliers d'autres, mais je
l'aimais bien, j'y étais habituée. C'était le mien. Marie Dupont
j'étais née, Marie Dupont je pensais rester jusque sur ma pierre
tombale. . .
◊ Que nenni! Tout a commencé par une simple réflexion de Monsieur
le Maire, le moment venu de signer son registre aux côtés de celui
que, librement, comme une grande personne que je croyais être, je
venais d'épouser: «Signez ici, Madame. De votre nom de jeune
fille. . .» Dans son esprit, ce geste était le dernier de Marie Dupont,
Marie Dupont ne devait plus exister, Marie Martin. . . ou plus
exactement Madame Jean Martin devait la remplacer.
Etant adulte, responsable, autonome et forte de mon bon droit, je ne
voyais pas pourquoi, sous prétexte que je m'étais mariée, je devais
subitement quitter ce qui m'appartenait en propre depuis ma
naissance pour porter le nom de mon mari. Je décidai donc — et
l'homme de ma vie m'approuvait entièrement — de continuer à
porter le mien. Eh bien je vous le dis: c'est impossible!
Bien entendu, je ne parle pas des commérages que l'affichage de ◊
deux noms distincts et indépendants sur la boite aux lettres
conjugale provoqua, ni de l'indignation de ma belle-famille (Madame
Martin mère — née Durand — en tête). Si je refusais de devenir
Madame-mon-mari, c'est que je ne l'aimais pas. Point. De plus,
c'était un scandale qui rejaillissait sur l'ensemble de la famille
Martin. D'ailleurs, c'est simple: je les méprisais. «Pour l'importance
que ça avance de faire tant d'histoires».
Plus grave, à mes yeux, fut la réaction de la banque à qui j'avais eu
la faiblesse de confier ma fortune, provenant uniquement de mon
travail. Malgré mes protestations, mes menaces, mes appels à la
logique, mon évocation du doux rêveur, auteur de la loi du 6
Fructidor de l'An II, rien n'y fit. Je devins «Madame Jean Martin»
◊ avec, en prime, une exclamation agacée du directeur de l'agence à ◊
qui je faisais perdre du temps avec mes futilités: «Mais enfin,
Madame, pourquoi vous êtes-vous mariée?» Pourquoi, en effet, si
ce n'est pour le seul plaisir de pouvoir signer mes chèques au nom
de Martin?

Anne Fulup, **Elle**

Que nenni! But no!
commérages gossip
en prime as a bonus
agacée annoyed

8 Vos droits, vos lois, vos crimes

De zéro à soixante-dix ans

L'âge : c'est la question indiscrète et embarrassante par excellence. L'épreuve outrageante et irréparable, la ségrégation par les ◊ rides apparentes ou par les années de vie avouées — «Plus ou moins de vingt-cinq ans?» : c'est pourtant la question que pose hardiment à ses jeunes clientes, avant de leur prodiguer ses soins, un des instituts de beauté français parmi les plus ◊ collet monté de notre vieux pays. Exhibé dès l'entrée à la crèche, digéré par la bureaucratie administrative, civile ou militaire, récupéré par les caisses de retraite, ◊ l'âge charrie presque autant de droits et de devoirs, d'interdits et de licence que de jours clairs ou tristes, doucement comptés. A défaut de Mémoires, voici ◊ quelques-uns des jalons chronologiques et légaux de la vie d'un homme ordinaire.

ZERO AN. On respire déjà et on part pour la crèche.

DEUX ANS. Les portes de la carrière scolaire s'ouvrent sous conditions: être propre et être vacciné. Première étape: la maternelle.

TROIS ANS. La maternelle, sans conditions et dans la mesure des places disponibles.   ◊

SIX ANS. L'école élémentaire devient obligatoire. Les vaccins suivent toujours.

TREIZE ANS. On ose, dans la légalité, les hold-up et les westerns, au cinéma.

QUATORZE ANS. De 0 à 49,9 cm3, avec pédales et vitesse limitée à 45 km/h, le cylomoteur.

QUINZE ANS. Le mariage pour les filles et, par ce biais, l'émancipation. Mais les deux restent soumis à l'autorisation parentale.

SEIZE ANS. Avec la licence A 1, on enforce les 50 à 125 cm3, et c'est le bistrot, le flip et la limonade. En prime: fille ou garçon, marié ou pas, l'émancipation devient, possible et l'école obligatoire est finie. Mais l'apprentissage commence. Et, de façon plus générale, le monde du travail et du chômage devient accessible. Avec lui, celui du syndicalisme: on peut être membre d'une organisation syndicale mais pas délégué.

DIX-SEPT ANS. Rien! Sauf le loisir de devancer l'appel du service national. Mais pas d'incorporation avant dix-huit ans.

DIX-HUIT ANS. Tout ou presque. Fini l'autorisation parentale, on peut se marier, s'engager dans les forces armées, louer un appartement, subir une interruption ◊ de grossesse, signer des lettres de change, choisir sa nationalité et sa sexualité sans demander la permission de papa-maman. On peut disposer librement de ses biens, tirer des chèques ou puiser dans son compte de caisse d'épargne, assurer, posséder et conduire des voitures, des grosses motos et même des poids lourds (permis A, B, C). En contrepartie, les parents ne sont plus ◊ responsables des dégâts commis par leurs enfants. C'est aussi le libre choix des études, le plaisir de la signature solitaire et authentique du carnet de notes, la fin des mots d'absence. Foin des études, on peut fonder un commerce ou une entreprise, être éligible aux fonctions de délégué du personnel ou de membre d'un comité d'entreprise mais pas pratiquer n'importe quelle profession.

Engager une action judicaire civile ou pénale, être témoin mais pas jure. Contrecoup logique: la responsabilité de ses actes devant la justice pour toutes les infractions. Formalités parfois pénibles: l'obligation de se faire recenser pour le service national et l'obligation théorique de s'inscrire sur les listes électorales.

VINGT ET UN ANS. L'accès au conseil municipal et au conseil général (sous réserve, bien sûr, d'avoir satisfait aux obligations militaires). Trop tard, en revanche, pour devenir élève ingénieur de l'Ecole des Ponts et Chaussées.

VINGT-DEUX ANS. Limite du report simple de l'appel.

VINGT-TROIS ANS. La députation, la présidence de la République, qui sait? Mais le Sénat, point encore.

VINGT-QUATRE ANS. C'est fini pour le concours de l'Ecole normale supérieure.

VINGT-CINQ ANS. Accès à certaines professions (pharmacien, titulaire d'une officine, par exemple) et échéance extrême du report spécial du service militaire pour les étudiants dans les disciplines pharmaceutiques ou dentaires. L'E.N.A., c'est fini aussi et papa-maman ne paient plus les impôts de leur progéniture étudiante.

VINGT-SEPT ANS. Même échéance militaire pour les étudiants en médecine et médecine vétérinaire. Age critique et, à quelques exceptions près, limite pour le maintien sous le régime de Sécurité sociale étudiante.

TRENTE ANS. Trop tard pour la candidature à un emploi de l'Etat ou d'une collectivité locale, service national et enfants à charge non comptabilisés et abstraction faite

◊ des exceptions — aussi foisonnantes que diverses — propres au fonctionnariat. Homme ou femme, on peut adopter un enfant sans pour autant être marié et à condition d'avoir quinze ans de différence avec l'enfant.

TRENT-CINQ ANS. Le Sénat, tardivement mais pour neuf ans au minimum.

CINQUANTE ANS. Droit à la ◊ retraite pour les égoutiers, les agents de services insalubres et pour certains mineurs.

CINQUANTE-CINQ ANS. Droit à la retraite des gardiens de la paix et des fonctionnaires occupant un emploi de catégorie B.

SOIXANTE ANS. La carte Vermeil pour les femmes. Retraite possible pour les inaptes au travail, les titulaires de la carte de déporté ou d'interné, les ouvrières ayant élevé au moins trois enfants pendant neuf ans, les fonctionnaires occupant un emploi de categorie A, etc. Bon à savoir: les locataires retraités peuvent occuper légalement leur logement (droit au maintien dans les lieux).

SOIXANTE-CINQ ANS. La retraite pour les pharmaciens, les auteurs d'arts graphiques, les géomètres ou les médecins. Et pour la majorité des fonctionnaires. La Carte ◊ Vermeil pour les hommes.

SOIXANTE-DIX ANS. Ouf! La retraite pour les architectes ou les officiers ministériels. Limite d'âge pour les professeurs titulaires du Collège de France. On respire enfin.

Christine Deymard, **Le Nouvel Observateur**

rides wrinkles
collet monté prim and proper
charrier to carry
jalons marker
disponible available
grossesse pregnancy
dégâts damages
foisonnantes abundant
égoutiers sewermen
la carte Vermeil pensioner's card

Trafic de bijoux volés
dans un bar

120.000 francs de bijoux ont été ◊ récupéres, par hasard, dans un bar ◊ de Joliette. Dans le cadre d'un ◊ éventuel trafic de marchandises volées, le commissaire Céleschi et une de ses équipes de la 1re Brigade ◊ territoriale, épaulée par des fonctionnaires des Douanes, effectuaient, lundi soir, divers contrôles dans le secteur du port.

C'est au cours d'une vérification à l'intérieur d'un établissement qu'une femme s'est trouvée surprise au moment où elle jetait à terre un sac.

Son geste, aperçu par un inspecteur, devait permettre la récupération de ce sac dans lequel il y avait trois chaînes en or de Cartier, cinq bagues ornées de pierres et de brillants, et une alliance en bril-

Le Méridional

lants, le tout évalué un peu plus tard à 12 millions de centimes.

Cette femme, âgée de 47 ans, déjà connue pour divers trafics, mère de sept enfants, exploite un bar dans le 2e arrondissement. Elle a simplement indiqué, au cours de son audition, avoir acheté les bijoux pour 2.000 F. à un inconnu.

Pour les policiers, qui n'ont pas encore pu déterminer la provenance de cet or et des pierres précieuses, il ne fait pas de doute que le tout provient de vols. Ils sont certains que cette commerçante avait l'intention de revendre ces bijoux à des navigateurs de passage dans son établissement proche du port et où devaient se faire pas mal de trafics.

récupérer to recover
le cadre the setting
éventuel possible
épaulée supported

FAITS DIVERS
Des inconnus tirent sur la gendarmerie de Castelnaudary

Castelnaudary. — C'est une affaire des plus mystérieuses qui s'est dé-◊ roulée samedi matin, à Castelnaudary. Il était 1 h 30 lorsque les gendarmes assurant la permanence ◊ de nuit à la gendarmerie entendaient des coups de feu.

Aussitôt, ils sortaient pensant à ◊ une rixe qui aurait pu éclater dans une discothèque proche. Mais il n'en était rien. Ils s'apercevaient bien vite que c'était l'immeuble où sont logées les familles des gendarmes qui avait servi de cible aux ◊ tireurs. A cinq endroits différents, ◊ les balles avaient brisé la vitre du hall de la porte d'entrée.

Les enquêteurs ne possèdent que très peu d'indice pour le moment. Ils savent que le ou les responsables étaient à bord d'un véhicule et que l'arme utilisée était un fusil automatique ou un revolver 22 long rifle calibre 5x5.

A Marseille:
◊ Deux détrousseurs de passants arrêtés

Marseille. — Auteurs de plusieurs agressions commises dans la nuit de vendredi à samedi, à Marseille, deux jeunes gens ont été arrêtés peu après leurs méfaits, par une patrouille de police.

Il s'agit de Gabriel Grandadam, 18 ans et Azide Zidhance, 19 ans. Un complice des deux malfaiteurs, a réussi à prendre la fuite. Opérant dans des rues du centre de la ville, ils avaient dépouillé cinq passants de leur portefeuille et de ce qu'ils possédaient de précieux, sous la menace d'un pistolet.

Carcassone:
«Coup de l'étrier» et coup de fusil

Carcassone. — «Puis-je vous offrir un verre?» C'est le genre de questions qu'il vaut mieux ne pas poser à Ginette Ollier, 56 ans, et Germain Thomas, 57 ans, connus à Carcassonne pour leur éthylisme chronique.

Et pourtant, un militaire du 3e R.P.I.Ma, Christian Hervet, 26 ans, s'est lancé dans l'aventure lorsqu'il a rencontré le couple dans un café de Carcassonne. Les deux personnages ne se le firent pas dire deux fois et, de verre en verre, l'après-midi passa.

Il était 20 heures lorsque le couple invita le jeune homme à son appartement de la rue Victor-Hugo afin de boire «le coup de l'étrier». En fait de «coup de l'étrier», on déboucha plusieurs bouteilles de vin tant et si bien que le ton finit par monter avec l'ivresse.

Ginette Ollier et Germain Thomas commencèrent à se disputer, ce qui décida le militaire à quitter les lieux. Arrivé dans la rue, il s'aperçut qu'il avait oublié son béret. Il remonta donc dans l'appartement où la dispute continuait de plus belle et alors qu'il repartait, il entendit une détonation et sentit une vive douleur dans le dos. C'était Ginette Ollier qui venait de tirer à travers la porte une belle de son 22 long rifle.

Christian Hervet, dont la blessure est sans gravité, a été admis au centre hospitalier; quand à Ollier et à son ami Thomas, ils ont été arrêtés et seront déférés demain lundi au parquet.

Midi-Libre

se dérouler to unfold
la permanence de nuit night duty
une rixe a brawl
cible target
les balles the bullets
détrousseurs muggers

● **JE LIS** avec intérêt l'article d'une revue médicale que me transmet un lecteur de Lille. Le titre est frappant : «Quand vous avez le malheur de tuer un ou plusieurs de vos semblables, faites-le de préférence avec une automobile!» Et de citer le cas d'un automobiliste qui, sous l'emprise de l'alcool, provoqua un accident : deux morts, quatre blessés. Verdict du tribunal : deux ans de prison ◊ avec sursis, mille francs d'amende, cinq ans de suspension de ◊ permis. Si l'accusé avait été un clochard, tuant dans une bagarre ◊ un de ses camarades, de combien aurait-il écopé? D'au moins cinq ◊ ans de prison ferme, assure l'auteur de l'article, qui en tire la morale suivante : «Si, étant sous l'influence de l'alcool, vous tuez votre prochain, utilisez une automobile.»

Alain des Mazery, **La Vie**

avec sursis suspended
clochard tramp
bagarre brawl
écoper to cop (sl.)

CODE DE LA ROUTE

PREMIERE PARTIE
(Législative)

TITRE PREMIER Infrations aux règles concernant la conduite des véhicules et des animaux

Article L. 1er. — (Loi n° 70–597 de 9 juillet 1970, art 1er). — Toute personsone qui aura conduit un véhicule alors qu'elle se trouvait, même en l'absence de tout signe d'ivresse manifeste, sous l'empire d'un état alcoolique caractérisé par la présence dans le sang d'un taux◊ d'alcohol pur égal ou supérieur à 0,80 gramme pour mille sans que ce taux atteigne 1,2 gramme pour mille, sera punie d'un emprisonnement de dix jours à un mois et d'une amende de 400 F à 1.000 F ou de l'une de ces deux peines seulement. En cas de récidive, les peines prévues à l'alinéa suivant sont applicables.

Toute personne qui aura conduit un véhicule alors qu'elle se trouvait, même en l'absence de tout signe d'ivresse manifeste, sous l'empire d'un état alcoo-lique caractérisé par la présence dans le sang d'un taux d'alcool pur égal ou supérieur à 1,2 gramme pour mille, sera punie d'un emprisonnement d'un mois à un an et d'une amende de 500 F à 5.000 F ou de l'une de ces deux peines seulement.

Les officiers ou agents de la police administrative ou judiciaire soumettront à des é-preuves de dépistage de l'imprégnation alcoolique par l'air expiré l'auteur présumé de l'une des infractions énumérées à l'article L. 14 ou le conducteur impliqué dans un accident de la circulation ayant occasionné un dommage corporel. Ils pourront soumettre aux mêmes épreuves tout conducteur qui sera impliqué dans un accident quelconque de la circulation.

Extract from legal code

taux level

VOS DROITS

LA RESPONSABILITÉ DES COPROPRIÉTAIRES est engagée par un accident survenant dans leur immeuble.

Q. — Rendant visite à un ami, j'ai emprunté l'ascenseur pour gagner son cinquième étage. Mais, au moment où je pénétrais dans la cabine, la porte s'est refermée brusquement et je suis resté le pied coincé entre cette porte et l'armature de l'appareil. Je m'en suis heureusement tiré avec une fracture de la cheville, la cabine n'ayant pas con-tinué sa course. Contre qui puis-je me retourner pour obtenir réparation de cet accident?

R. — Cet immeuble étant en co-propriété, c'est contre cette derni-ère que vous devez agir. Par application de l'article 1384, c'est elle, en effet, qui était gardienne de l'appareil défectueux.

UNE MÈRE DIVORCÉE VIVANT EN CONCUBINAGE a le droit de recevoir son fils.

Q. — Divorcée il y a quelques années, je vis actuellement en union libre avec un autre homme. Mon ex-mari l'ayant appris veut me faire supprimer le droit de visite et d'hébergement de nos deux enfants dont la garde lui a été confiée. Un tel motif est-il justifié?

R.— Non. Il a déjà été ju-gé que l'intérêt des enfants est de garder des rapports avec leur mère. La présence d'un concubin auprès d'elle n'est pas de nature à remettre en cause les liens affectifs entre mère et enfants l'union libre n'étant désormais plus regardée comme présentant un caractère d'immoralité.

Drame de la dépression: quatre morts

Un homme de trente-cinq ans a tué, samedi, sa femme et ses deux enfants avant de se donner la mort à Balaruc-les-Bains (Hérault).

Le drame qui s'est produit samedi en fin de matinée n'a été découvert qu'hier peu avant midi par un voisin inquiet de ne voir dans la villa qu'ils habitaient près de la gare aucun membre de la famille Ruiz.

C'est en pénétrant dans la maison dont la porte était ouverte que le voisin a découvert le drame.

Le chef de famille a tué à coups de carabine sa femme, âgée d'une trentaine d'années, sa fille (14 ans) et son fils (11 ans) avant de se donner la mort en se pendant et se tirant en même temps un coup de carabine.

Selon les premières constatations de la gendarmerie, l'homme a tué sa femme d'un coup de fusil. Il a ensuite trainé son corps dans la salle de bains dont il a fermé la porte à clé. Puis il a tué de la même façon ses deux enfants à leur retour de l'école et a enfermé chacun des cadavres dans une chambre. Gérard Ruiz a ensuite mis fin à ses jours.

La famille, originaire de Narbonne, était installée depuis de nombreuses années à Balaruc-les-Bains. Le chef de famille était adjoint technique à la mairie de Balaruc et sa femme occupait toujours à la mairie les fonctions d'économe.

Le Figaro

Bientôt une nouvelle
tenue pour les gardiens de la paix
Adieu vareuse adieu képi

Képis et vareuses rejoindront bientôt au musée pèlerines et bâtons blancs. La silhouette du gardien de la paix parisien ressemblera sous peu à celle du «cop» new-yorkais, rendue célèbre par nombre de films ou feuilletons américains : casquette, blouson et pistolet apparent sur la hanche.

Cette révolution vestimentaire n'est dictée en rien par un besoin ◊ de mimétisme, et encore moins par un goût gratuit du changement. La raison de ce new-look policier: l'entrée prochaine en service chez les gardiens de la paix d'une nouvelle arme, le Manurhin M.R. 73 qui équipe déjà une partie des inspecteurs et des commissaires.

Avec son canon court et son bar- ◊ illet, ce révolver qui emprunte beaucoup au célèbre «Smith et Weston», n'est pas portable dans le traditionel étui de cuir des gardiens conçu pour les vieux pistolets automatiques. Sa forme générale nécessite aussi pour une utilisation rapide une tenue qui laisse ceinturon et arme «à l'air libre». La va-

Gérard Nirascou, **Le Figaro**

mimétisme mimicry
barillet revolver cylinder
croquis rough sketches

reuse était du coup condamnée au profit du blouson comme en portent la plupart des policiers du monde, ou plus près de nous les employès des organismes de transports de fonds, ou des sociétés de surveillance. Les responsables policiers voient dans l'adoption du blouson un autre avantage: il laisse une grande liberté de mouvement rendue nécessaire par des interventions de plus en plus difficiles.

Toujours le bleue marine
Le remplacement de la casquette par le képi tient, lui, plus à l'esthétique. Blouson et képi sont à peu près incompatibles. Mais il n'y a pas que cela. La casquette est aussi plus pratique: elle peut être portée facilement en voiture; et, en opération, elle occasionne une gêne moindre.

Ce sont toutes ces considérations qui ont conduit les responsables de la préfecture de police de Paris à proposer au ministère de l'intérieur (dessins et croquis à l'appui) une ◊ nouvelle tenue.

● FAITS DIVERS

◊ **Amendes aux motards
antiparcmètres**

Les quatre jeunes motards arrêtés alors qu'ils obstruaient avec du mastic des orifices de parcmètres, dans l'avenue de Friedland, ont été condamnés à 400 F d'amende chacun par la 24e chambre correc-tionnnelle. La ville de Paris, partie civile, obtient 1.200 F à titre de dommages et intérêts. Jean-Marc Maldonado, âge de 25 ans; Pierre Quiriconi, 20 ans; Didier Sussest et René Millambourg, âgés de 18 ans, entendaient manifester contre le projet de vignette pour les motos. ◊

Les Dépêches de Dijon

amendes fines
vignette motor tax

114

LETTRE AU PRÉFET DE POLICE

■ «J'ai, effectivement, stationné le 21 mai, de 15 h 45 à 16 h 45, vers le 63, avenue d'Iéna, en face d'un distributeur de tickets de stationne-ment. J'ai introduit à trois reprises des pièces de un franc qui sont ré-gulièrement retombées, sans dé-livrance de ticket.

«Il me parait anormal, si vos dis-tributeurs ne sont pas en état de marche, que l'on pénalise les au-tomobilistes en leur réclamant 20 F au lieu des 3 ou 4 F qu'ils n'ont pas été en mesure de régler.

«Je vous retourne donc, ci-joint, votre contravention.» ◊

Pierre Tranchard

contravention summons

En prison depuis sept mois

Fidèle lecteur de votre journal depuis des années, je me permets de venir vous parler d'un problème que je connais bien, le «H»: je ◊ suis actuellement en prison en Espagne pour ce délit. Je passe sur les prisons de ce pays, bien qu'il y aurait là sujet intéressant à traiter. Je suis incarcéré depuis sept mois, et sans doute encore pour longtemps. Ici, les peines sont d'environ six ou sept ans pour les quantités de dix kilos et plus.

Je désire surtout vous parler de ce que l'on oublie de dire lorsque l'on traite ce sujet délicat, oubli certainement volontaire. Les consommateurs, il est toujours question de jeunes, dealers et autres.

J'ai rencontré ici, à la prison de Cadiz, mais surtout à Algésiras, des gens de toutes catégories sociales (une soixantaine de personnes de vingt-deux nationalités différentes) : un médecin italien, un dentiste de Milan, un professeur français ayant plusieurs licences, mais aussi un pasteur protestant, aumônier de prison en France. Pour qui croyez-vous que ces gens-là trafiquaient? Non pas pour des dealers; ils revendaient aux gens de leur milieus: médecins, avocats, juges, etc. Tous ces gens dont on ne parle jamais mais qui sont des consommateurs assidus. Pourquoi ne pas ◊ préciser que le «H» est répandu dans toutes les couches sociales, que son utilisation est beaucoup plus courante qu'on ne le croit?

Le «H» ne mène pas à la dépendance. Ceux qui en viennent à ce stade y seraient venus même sans lui. Pour une grande majorité de gens, le «H» est une drogue au même titre que l'alcool ou le tabac. L'avantage, pour celui qui sait l'utiliser, est qu'il permet de mener une vie normale — contrairement à l'alcool. Bien sûr, certains abusent; mais les excès n'existent-ils pas partout?...

J'ai connu aussi un ouvrier qui allait de chantier en chantier à l'étranger, qui fumait régulièrement: cela ne l'a jamais empêché de faire du bon travail. Il existe des prêtres qui fument et, anecdote,
◊ l'aumônier d'Algésiras, si vous vous confessez, vous dit carrément que le «H» n'est pas un péché; la masturbation, oui!

Il y a en ce moment plusieurs milliers d'étrangers en prison dans ce pays pour trafic de «H». Sans parler des Espagnols. Chaque jour, une et souvent plusieurs personnes sont arrêtées à la douane d'Algésiras, bien souvent aussi avec femme et enfants. J'ai même eu comme compagnon le fils d'un diplomate tchèque...

Letter to newspaper from a prisoner

le 'H'   hashish
assidus   persistent
aumônier   almoner

9 La terre des hommes

Une majorité de Français favorable au solaire

Soixante-douze pour cent des Français donnent la priorité au développement de l'énergie solaire dans les vingt ou trente années à venir, contre huit pour cent pour le nucléaire, indique un sondage «Nouvel Observateur-Antenne 2» réalisé par la «SOFRES».

Ce sondage, effectué entre le 7 et le 13 juin derniers sur un échan-◊ tillon national de 2.000 personnes représentatif de l'ensemble de la population âgée de plus de 18 ans, permet de dégager une importante majorité en faveur de l'énergie solaire. Soixante-huit pour cent des personnes interrogées pensent en effet que le programme du gouvernement en ce domaine n'est pas assez important.

S'agissant de l'énergie solaire, soixante-seize pour cent des Français s'estime plutôt mal ou très mal informés, le reste estimant pour sa part être plutôt bien informé. A la question de savoir pourquoi le solaire n'occupera pas une place plus importante (cinq pour cent de la consommation d'énergie des Français dans vingt ans), quarante et un pour cent des personnes interrogées répondent que le gouvernement préfère donner la priorité au programme nucléaire, plus de la moitié des Français estimant cependant que l'énergie solaire coûte trop cher ou que le climat de la France est un frein à son ◊ développement.

Enfin, l'utilisation la plus importante de cette énergie apparaît pour la moitié des Français être le chauffage par capteur solaire, la production d'électricité ne venant en première place que pour dix-huit pour cent des personnes interrogées.

Le Méridional

échantillon sample
frein brake

COURRIER DES LECTEURS

Pour une France propre

A peine rentré de vacances, je ne peux m'empêcher de vous faire parvenir mes impressions sur le périple que j'ai accompli en ◊ compagnie de mes parents et de mes oncle et tante polonais à travers la France. De même l'an dernier, nous nous étions rendus en compagnie d'amis allemands sur l'île d'Oléron que nous avions visitée en détail. Le jugement des étrangers sur notre pays se résume à ceci: «Ah que la Fance serait belle si... elle était plus propre!». Eh oui, il faut le reconnaître: que l'on visite Nancy et sa banlieue, Paris, notre capitale, et toutes les villes de France et de Navarre je suppose, on arrive toujours à la même constatation: ᵊartout dans les rues, sur les trottoirs et dans les caniveaux, on ne ◊ rencontre que papiers, tickets de bus et de métro, et surtout pipis de chiens séchés sur les trottoirs qui ne sont jamais ou peu souvent
◊ lavés par les riverains, alors qu'en Belgique par exemple, il est obligatoire de nettoyer à grande eau le samedi, le trottoir devant sa porte. J'ai passé tout cet après-midi à Nancy, j'ai constaté devant l'arrêt de bus de Point Central, un amas de papiers de toutes sortes
◊ qui jonchaient même les caniveaux de la rue Saint-Dizier; et que dire des alentours de la gare et de la cathédrale... Cette situation se retrouve partout en France, puisque je commence à bien connaître notre pays. L'an dernier, nous avions voulu faire visiter la plage de Saint-Trojan à nos amis allemands; nous y sommes allés vers 20 heures, au moment du coucher du soleil. Plus personne sur la plage immense; le spectacle aurait pu être magnifique si...le sable n'avait pas été encombré sur des kilomètres, de détritus. Nous n'avons pas eu le courage de poursuivre notre promenade et nous sommes repartis en voiture, un peu honteux d'avoir raté notre effet auprès de nos invités.

Et pourtant, il existe de par le monde des villes où il fait bon se promener sans crainte. Mais quel maire aura le courage d'entreprendre une campagne qui risque de lui coûter son post aux prochaines élections municipales? Oui, qui osera donner un grand coup de balai dans sa ville pour la rendre plus accueillante?

Paris Match

périple survey
caniveaux gutters
riverains residents
joncher to litter

Menacés de tous les côtés!

On nous menace de tous les côtés. Les prix montent et le moral est en baisse. Et pendant que le gaz poursuit sa vertigineuse ascension, vous devenez si nerveux que vous fabriquez vous-même votre électricité. Il y a de quoi... Radios, télévision, journaux, nous assomment d'informations. Le monde s'ébranle, l'eau pourrit, l'air ◊ devient irrespirable et les étoiles filantes. Elles ont d'ailleurs bien ◊ raison; je filerais aussi, si j'avais moins d'obligations! La femme se libère, on l'écrase. L'homme évolue, on l'abêtit. Au secours, c'est trop, c'est trop!

Le sens de la mesure est remplacé par une hilarante démesure. On perd les pédales, et avec allégresse. Le Concorde? Trop petit... La Villette? Gigantesque. Les tours? Trop hautes. Le niveau intellectuel? Trop bas. C'est trop et c'est trop peu... Et alors que la ◊ France supporte toutes sortes de mecs, le *France*, selon les dernières nouvelles entendues, sera vendu pour transporter les fidèles vers la Mecque!

Notre argent flotte et le plus beau des bateaux coule. Il y a comme un défaut d'organisation, ne trouvez-vous pas? Ou bien, si ceci est normal, sommes-nous tous des anormaux?

Le brouillard qui compresse jusqu'à vos narines les gaz carboniques, nous étrangle. «Trop de voitrues, trop de voitures», ils le disent tous. Mais, si nous n'acceptons pas de nous asphyxier et si on ne meurt pas de vitesse, nous condamnons au chômage ceux qui fabriquent les véhicules qui nous exécutent... J'en ai assez de ce jeu de société où continuellement l'un dessert l'autre, où on vit et où on prospère au détriment de l'autre.

L'agression vient même de la publicité imprimée. Avant, on vous ◊ câlinait; maintenant, on vous fait frémir. J'ai devant moi, sur une page entière, cinq lapins, cinq lapins adorables, à caresser, à élever, à sauvegarder, à mettre dans votre jardin pour qu'ils égayent votre vie... Mais le texte qui accompagne l'image vous envoie un choc. Et de taille:

«Les toxines qu'un homme fabrique chaque jour tueraient cinq lapins...» Grands dieux, nous voilà, malgré nous, meurtriers en puissance! Notre corps n'est qu'un arsenal, un sac à venin, un étui ◊ à cartouches. Regardez-vous dans la glace. Tel que vous vous voyez, vous tueriez cinq lapins avec vos toxines... en un seul coup... Pire qu'un chasseur.

Christine Arnothy, **Lecture pour tous**

s'ébranler to tremble
pourrir to go bad
étoiles filantes falling stars
mecs fellows (sl.)
câliner to cajole
étui à cartouches cartridge case

Citroën
va présenter
une voiture
à gaz

— Elle me plaît assez, surtout si elle me remplace ma cuisinière!

En pur coton
vous vivez mieux

D'un côté le coton, de l'autre New Man... et que la fête commence. New Man se met en mode et le Coton vibre de toutes ses fibres. Le naturel à porter se transforme alors en plaisir à porter.

Chemises bariolées, blousons matelassés, jean velours aux coloris multipliés, New Man et le Coton s'entendent à la perfection.

En Coton et en New Man, soyez-en sûr, vous allez passer un automne pas monotone.

New Man et le Coton...
un automne pas monotone

Advertisement promoting cotton

bariolées multi-coloured
matelassés padded

Dans l'huile. . .

«Les eaux dans votre région sont de bonne et même de très bonne qualité. Vous pouvez vous y baigner sans aucune crainte. . .»

C'est à quelque chose près ce qu'a déclaré le ministre de l'Environnement et du Cadre de vie, lundi soir, à l'issue de sa longue journée marseillaise au micro et devant les caméras de FR 3.

Si cette déclaration optimiste a sans doute rejoui les professionnels ◊ du tourisme qui pullulent sur le littoral méditerranéen et les maires des différentes communes, celle de Marseille en particulier, elle n'a pas réconforté et elle a même beaucoup surpris un grand nombre de téléspectateurs et usagers des plages en question. Certains, d'ailleurs, n'ont pas hésité à nous faire part de leur étonnement qualifiant

Le Méridional

les propos ministériels «d'imprudents».

Et il y a quoi être étonné en effet de s'entendre dire que tout va pour le mieux dans le même temps que l'on nous indique qu'il faudra. . . 10 ans pour laver la mer et que plus d'un milliard et demi de nos francs actuels seront nécessaires pour as-◊ sainir le littoral méditerranéen!

◊ De deux choses l'une: ou il y a pollution et ces investissements sont indispensables, ou il n'y a pas pollution et cette somme fabuleuse doit être utilisée ailleurs.

Prévoir l'assainissement du littoral méditerraneen est parfaitement convenable. Metre la charrue devant les bœufs et parler comme si c'était déjà fait ne l'est pas.

Car il est encore des endroits où tout baigne dans. . . l'huile, hélas!

pulluler   to swarm
assainir   to make healthy
de deux choses l'une   in short

SAUVER UN ENFANT

sa vie dépend aussi de vous
comité français pour la campagne contre la faim

Il y a à travers le monde des centaines de milliers d'enfants dont la vie est menacée. Ils sont trop! Trop pour que l'opinion s'émeuve devant une détresse si vaste qu'elle en devient anonyme. Trop pour qu'on ait l'espoir de les sauver tous. Mais si vous connaissiez un de ces enfants, un seul, que feriez-vous?

Vous feriez l'impossible, bien sûr. Vous l'aideriez d'abord à sortir de la misère physique, en le soignant. Puis vous vous apercevriez que cet enfant n'a en vérité qu'une seule maladie: il a faim. Alors, il faut nourrir cet enfant, sans poser de questions.

Vient ensuite le temps où l'on s'en pose quand même, des questions: pourquoi la société où vit cet enfant n'a-t-elle pas pu le prendre en charge? Pourquoi, dans son pays, n'y a-t-il pas à manger pour chacun? Pourquoi, en dépit de leurs efforts et malgré l'aide internationale, les paysans de ce pays n'arrivent-ils pas à produire assez? Y a-t-il un remède à cette misère qui tue un enfant sur deux et ne permet à l'autre que de devenir un homme affaibli et diminué?

C'est parce que, depuis longtemps, d'autre hommes se sont posé ces questions qu'ils ont fondé le Comité Français pour la Campagne contre la Faim. Peu à peu, on a trouvé des remèdes à cette situation tragique. On a réuni les moyens nécessaires pour les mettre en œuvre. Chaque année, le Comité Français s'adresse à l'opinion pour lui demander de soutenir son action. Ces fonds sont utilisés intégralement dans des projets de développement rural en Afrique, en Asie, en Amérique latine, partout où rôde encore la faim.

Avec le Comité Français contre la faim, les gens de notre pays, partout, ont permis d'abord les sauvetages les plus urgents, puis ont soutenu les progrès nécessaires pour mettre les populations les plus vulnérables à l'abri de la pire misère, celle qui fait mourir de faim les petits enfants. Partout, ces actions ont réussi. Mais ce combat n'est pas encore gagné. Il reste encore beaucoup d'endroits où il faut agir, et agir vite. Et pour cela, il faut des moyens.

Il y a, quelque part dans le monde, au Sahel ou en Amazonie, dans la brousse africaine ou dans la poussière de l'Inde, il y a un enfant que vous ne connaissez pas, qui va peut-être mourir parce que vous ne le connaissez pas. Depuis quinze ans, le Comité Français contre la Faim a sauvé des dizaines de milliers d'enfants. Un par un. Avec vous, cette année encore, il peut agir. Mais il a besoin de votre aide. Participer à l'appel du Comité Français, c'est sauver cet enfant que vous seul pouvez sauver.

Action against hunger campaign poster

Qui pense encore au Tiers monde? ◊

La crise du pétrole fait ressortir la difficulté pour la France, pays pauvre en ressources énergétiques, d'équilibrer sa balance des paiements. Mais réalise-t-on que les variations brutales des cours des matières premières ont bien souvent placé des pays en voie de développement dans des situations encore plus critiques, les mettant dans l'impossibilité d'acquérir les équipements ◊ indispensables au décollage de leur économie?

Si de vives oppositions se manifestent au niveau des remèdes contre les méfaits de la sécheresse, nul ne remet en cause la légitimité de l'objectif: garanti à ceux qui nous nourrissent, les agriculteurs, une évolution de leurs revenus en rapport avec celle des autres catégories sociales. Mais on ne se demande pas s'il est normal que, par l'évolution divergente au fil des années des cours des matières premières et des prix des produits finis, l'écart entre les ressources des pays en voie de développement et celles des pays industriels se soit considérablement accru, alors que les premiers fournissent aux seconds certains des éléments essentiels de leur richesse.

Les inégalités de ressources entre les diverses catégories de Français sont fortement ressenties comme une injustice. Mais que ◊ penser de l'écart qui sépare les 28.000 F. de revenu moyen en France et les 295 F — annuels! — de la Haute-Volta?

Le problème de l'emploi, aggravé par la récession économique, est loin d'être résolu. Néanmoins, les derniers accords paritaires conclus concernent la situation des travailleurs en chômage total ou partiel. Mais la répartition inégale des activités économiques laisse des millions d'hommes du Tiers monde dans la misère des ◊ bidonvilles.

Nos sociétés sauront-elles entendre l'avertissement de Tibor Mende: «Le temps presse, l'orage monte»?

La lutte contre les inégalités est aussi nécessaire entre les nations qu'à l'intérieur d'un pays. Il n'y a pas de frontières à la solidarité. **(Le Mouvement 1% Tiers monde.)**

Reader's letter to magazine

Tiers monde   third world
décollage   take-off
l'écart   distance
bidonvilles   shanty towns

L'invasion du petit écran

Sacrée télévision! Elle a fait couler presque autant d'encre qu'elle a
◊ consommé de pellicule. Installée depuis un peu plus de vingt ans
dans les salles de séjour, dans les cuisines de quinze à seize
millions de logements bien de chez nous, elle n'en finit pas de
troubler les sociologues. Ils observent le petit écran, mettent au
point de savants questionnaires, interrogent le facteur, le député et
la crémière pour connaître leurs opinions sur Guy Lux, Roger
Gicquel et Armand Jammot; puis ils lisent en cachette d'énormes
◊ rapports anglo-saxons, bourrés de chiffres; enfin, à moitié
désespérés, ils rédigent un fort volume sur cet engin du diable qui,
semble-t-il, inspire des tonnes de lieux communs et défie les
analyses scientifiques. En somme le petit écran continue à envahir
la planète des hommes, et personne ne sait au juste s'il nous rend
plus intelligents ou plus bêtes.

Pourtant, deux petites évidences semblent faire la quasi-
unanimité des specialistes du petit écran. La première vise le
niveau culturel moyen des émissions et la qualité des informations
diffusées: médiocre pour l'un contestable pour l'autre. Le ronron
émotionnel qui forme le fond sonore de la télévision finit par être
◊ lassant. Les reportages tragiques ressemblent à des films de fiction,
la violence est banalisée et les confrontations, toujours «brûlantes
et sans concession», laissent le téléspectateur de glace et
◊ goguenard. Il faut se rendre à l'évidence: au bout de vingt ans, il
n'y croit plus guère.

Mais simultanément, et à condition de prendre suffisamment de
recul, il devient évident que cet étrange média change la nature
des rapports entre les hommes: impossible d'imaginer l'impact de
Soljenitsyne, la rencontre Sadate-Begin, la percée de Jean Paul II ou
le drame des réfugiés vietnamiens et cambodgiens sans la
télévision. Médiocre ou pas, c'est elle qui crée le début d'une
conscience planétaire. Nous sommes dès maintenant tellement
habitués au petit écran que nous avons du mal à imaginer la vie
sans lui.

Georges Suffert, **Le Point**

pellicule   film
bourrés   crammed with
lassant   tiring
goguenard   mocking

Les lecteurs écrivent

L'ETE
SANS TELE

. . . L'été, nous passons nos week-ends dans une vieille maison à la campagne. Pour rien au monde je n'y mettrais un téléviseur. Je m'en passe fort bien. Ces soirs-là, je me délecte de musique, grâce à mon magnétophone, ce qui représente entre 400 et 500 heures de musique. Je n'ai que l'embarras du choix avec ce que j'aime le plus, les interprètes que je préfère. A quoi bon la télévision?
LEONE DUPONT

PLUS DE
LANTERNE MAGIQUE

. . . Lorsque mon poste de TV est tombé en panne au mois d'août ◊ dernier (panne définitive en ce qui le concerne), je n'ai pas jugé utile de le remplacer. Voilà donc près de cinq mois qu'il n'y a plus de lanterne magique (quelle expression dérisoire de nos jours!) chez moi et j'ai la ferme intention de prolonger cet état de fait pendant un long moment encore.
Je ne refuserai jamais une sortie au théâtre ou à tout autre forme de spectacle pour pouvoir assister à telle ou telle émission.
Quoique pour être totalement honnête, je dois avouer que je suis bien content que personne ne m'ait invité à sortir lorsque FR 3 a diffusé les inédits de Fritz Lang ou de Maurice Tourneur. . .
. . . La télé n'est pas forcément un moyen par lequel on s'isole des autres, ou la seule possibilité de distraction. Au lieu de regarder seul ou en famille une émission, pourquoi ne pas inviter un ami ou un voisin? JEAN-FRANÇOIS DUBOIS

J'ECONOMOSERAI
MA TRANQUILLITE

. . . Mon poste datant de 1976, je suis décidée à ne plus le renouveler lorsqu'il commencera à donner des signes de vieillesse. J'économiserai et l'argent de la redevance et ma tranquillité.   ◊
J'achèterai davantage de livres, laissant à d'autres auditeurs le plaisir de se faire abrutir par la clique des programmateurs des trois chaînes.
Que d'autres suivent mon exemple! Il en résulterait peut-être un changement salutaire! Mme LILLY LECLERC

Letters to a television magazine

tomber en panne   to break down
redevance   rental

LE TELEPHONE A VOTRE SERVICE

Le téléphone est devenue aujourd'hui indispensable

tant dans la vie pratique que dans la vie privée.

il se met aussi à notre service par l'intermédiaire

des SOS, des SVP, des allo. . .etc.

Fidèle jour et nuit. En voici un guide pratique.

TELEPHONEZ DONC. . .

Nos enfants feront peut-être leur déclaration d'amour au
téléphone. . . En attendant, cet instrument devient aujourd'hui
indispensable.

Non seulement il nous évite d'écrire de fastidieuses lettres pour ◊
prendre des nouvelles de notre entourage ou lui donner rendez-vous,
mais encore il sait se rendre utile. Et dans tous les domaines, de la
vie pratique à la vie privée.

Si vous êtes désespérée, si vous avez mal à la tête si vous voulez
connaître la couleur du ciel ce matin, si vous avez besoin d'un
◊ extrait de casier judiciare, si vous guettez le cours de la bourse, si ◊
vous vous disputez avec votre mari, si vos enfants n'obéissent pas,
si vous ne savez pas quoi faire à dîner ce soir, s'il vous manque une
grand-mère, si vous désirez connaître l'âge du capitaine,
téléphonez, mais téléphonez donc. Symbole triomphant de votre
droit à l'information dans un monde aux rouages de plus en plus
compliqués, cet incroyable instrument se met à notre service par
l'intermédiaire des S.O.S., des S.V.P., des Allo, tout azimut. Pas
cher. Fidèle jour et nuit. Discret. Efficace. Pour le meilleur ou pour le
pire. Il peut tout aussi bien encourager la paresse ou la solution de
facilité que sauver du désastre.

Livrons encore, en exergue à ce dossier politique, une réflexion à
vos méditations. Le téléphone — et les autres techniques de pointe
qui s'en suivront — sera-t-il un véritable moyen de communication
entre les êtres humains? Autrefois, il y avait le lavoir et toutes les
confidences qui y coulaient. Maintenant, il y a le coup de fil qui nous
dispense parfois de rencontrer les autres bien en face. Qu'en ferons-
nous? Une société plus fluidé où les échanges s'harmoniseront
mieux ou un monde «câblé» à distance, anonyme, aveugle?

fastidieuses tedious
casier judiciaire police registry
guetter to watch
la bourse the stock exchange

Des élèves parlent

'Il y a des choses que presque tous nous voudrions. . .'

Notre maître nous a demandé comment nous nous représentions l'école idéale. Nous ne sommes pas d'accord sur tout, mais il y a des choses que presque tous nous voudrions.

Nous voudrions que les classes et les couloirs soient peints de couleurs différentes, que le préau soit plus grand surtout quand il pleut, que les w.c. ferment mieux, qu'ils soient plus propres et approvisionnés en papier hygiénique.

Il faudrait des parterres de fleurs au milieu du gazon et on aimerait aller sur la pelouse quand il fait beau.

Nous voudrions que la classe soit plus décorée avec des dessins de couleurs vives, et des gravures de pays différents, et qu'il y ait davantage de fleurs et de plantes.

Ceux qui restent à la cantine voudraient qu'elle coûte moins cher, que le bifteck soit moins dur, que le foie de génisse ne soit pas vert, et que l'eau n'ait pas goût d'eau de Javel. S'ils pouvaient boire de la menthe, de la citronnade ou de l'orangeade, ce serait encore mieux.

Certains voudraient aller à l'école le mercredi matin et rester à la maison le samedi matin, d'autres voudraient travailler le mercredi et se reposer le jeudi comme avant, mais presque tous nous trouvons que la semaine est bien comme elle est. Ce serait mieux si les grandes vacances étaient moins longues, et si les autres vacances étaient plus longues. Les récréations ne durent pas assez longtemps.

Nous voudrions quand on change de place qu'on se mette où on veut.

Nous aimerions faire de la gymastique plus longtemps, aller plus souvent au Petit-Port, ne pas faire que des jeux de bébés, avoir un portique près du sautoir et une salle de gymnastique. Nous trouvons qu'on ne fait pas assez de dessin, de peinture, de travail et qu'on ne va pas assez souvent voir la télévision scolaire.

On voudrait bien aussi aller à la piscine, à la prévention routière, aux concerts éducatifs et faire des promenades et des visites en car, à la fin de l'année scolaire.

Eric-Charles

Pour la classe Eric-Charles

Letter from students to teacher reprinted in **Le Monde de l'Education**

génisse   heifer
eau de Javel   household disinfectant

10 Drôles de gens!

◊ **Ça colle. . .**

Mme M. . . une Marseillaise du quartier de la Capelette avait des
◊ travaux de bricolage à effectuer à son domicile. Elle avait entendu
parler d'une colle «musclée», une matière parait-il incomparable,
quant à ses propriétés. La dame se rendit donc au magasin le plus
proche et se fit remettre un tube du liquide miracle. Elle rentra au
logis et voulut aussitôt tester la fameuse colle. Mme M. . . étala sur
deux doigts une couche du produit, prit l'index et le majeur de
l'autre main et les plaqua sur les phalanges déjà enduites. Et c'est ◊
là que commencèrent les ennuis. «Opération concluante»; pensa
d'abord Mme M. . . Ça collait. Ah, ça oui, à un point tel qu'il fut
impossible à la malheureuse de séparer ses mains bien enlacées.
Elle tira, et tira, fort plus fort. Rien, les doigts restaient soudés.   ◊
    Affolée, elle appela des voisins qui crurent d'abord à une «colle».
Il leur fallut se rendre à l'évidence. Et de tirer à leur tour. . . En
vain. Mme M. . . grimaçant de douleur, on appela les marins-
pompiers, lesquels avec ménagement trempèrent les mains
◊ meurtries et toujours assemblées dans une bassine d'eau chaude.
En pure perte, la colle tenait bon. Ultime recours: l'hôpital. Mme
M. . . fut conduite à Sainte-Marguerite où des bains répétés
d'éther eurent finalement raison des irréductibles «sœurs
siamoises».
    Mme M. . . a pu regagner son domicile. Ses mains sont
convalescentes. Espérons que sa mésaventure ne sera bientôt
qu'un mauvais souvenir. Mais si vous la rencontrez et souhaitez
prendre de ses nouvelles, ne lui demandez pas si «ça colle».
    Elle le prendrait très mal.

Le Méridional

Ça colle?   How goes it?
bricolage   odd jobs
enduites   coated
soudés   stuck together
meurtries   bruised

— Paraît que c'est la fête du travail demain.
— Chic ! On va pas aller au boulot !

boulot work (sl.)

Comparaison n'est pas raison!

Rentrant plus tôt que d'habitude chez lui, un peintre abstrait tombe nez à nez avec un cambrioleur qui s'enfuit. La police prévenue demande au peintre de donner le signalement de son voleur. Aussitôt le maître du pinceau prend un crayon et dessine le portrait du malfaiteur.

Huit jours plus tard le peintre est informé qu'il sera confronté avec 6 suspects qui sont sous les verrous: ◊ un singe, une bicyclette, un pot de ◊ bière, un canapé-lit, un thermomètre et un ballon.

sous les verrous under lock and key
un canapé-lit a bed-settee

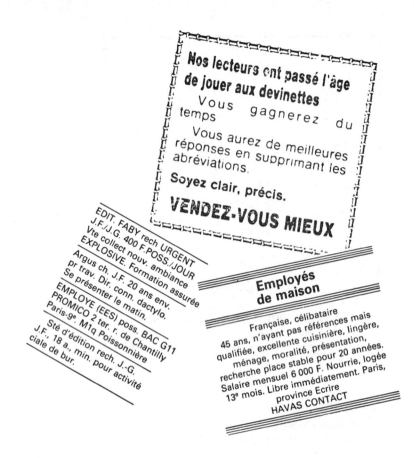

Les femmes me font rougir

A 20 ans, je suis timide comme il n'est pas permis de l'être et jamais, jusqu'à présent, je n'ai osé inviter une jeune fille à danser. Pourtant, je ne suis pas plus laid qu'un autre.

R. — La timidité se guérit très bien grâce à l'acupuncture. Enfoncez légèrement (sans faire saigner) une aiguille de couturière en acier, flambée au préalable, à l'extrémité de votre petit doigt, à droite comme à gauche, et gardez-la 5 minutes. En quelques jours, vous serez surpris du résultat.

André Lemaire, **Les Secrets du Docteur**, Editions de la Pensée Moderne

au préalable beforehand

Qui se ressemble s'assemble

Deux jolies filles observent le manège d'un playboy au cours d'une ◊ réception; il va de femme en femme, répandant à profusion des trésors de séduction, traînant tous les cœurs après lui.
    — Je me demande s'il m'aime vraiment comme il le dit, soupire tout à coup l'une des filles.
    — Bien sûr qu'il t'aime vraiment, s'écrie l'autre. Pourquoi ferais-tu exception?
Lecture pour tous

le manège stratagem

BLAGUE. J'ai appris par un bon copain qu'une nana avait trouvé très drôle d'envoyer une annonce pour moi. Comme je n'ai pas envie de me retrouver avec des tonnes de lettres, pourriez vous passer un rectificatif. Alors ne répondez pas à cette annonce.

Toutes régions : chat sauvage enfermerait belle petite chatte solitaire dans sa cage en acier tapissée de velours. Bon coups de griffe indispensable, chatons acceptés. Lui, 1.75 m. 35 a. Elle, 1.65 m, 30 a. maxi, brune, charme. Photo souhaitée.
Ecrire journal

Paris. Artiste dans spectacle gagnant tr. largement sa vie, partagerait sa réussite av. JF honnête, jolie, élégante, max. âge 40, taille 1 m 60, désirant autre existence que «boulot, métro, dodo»: une vie d'artiste heureuse, active, indép., passionn., en devenant «il autre profession» cessante, l'assistante dans les activités de son mari, veuf ss enf., aff., enthous., dyna.
Ecrire journal

Peintre rech. fme forte pour nus. Ecr. Aspainters Paris 16ᵉ

Oh! Un banquier?

    Lors du procès des ravisseurs d'un banquier le «cerveau» (sic) présumé de l'affaire a eu un beau geste en essayant de blanchir ses petits camarades. D'eux, il a dit notamment:

«Vous savez, ce ne sont pas des gens à enlever un homme honnête.»
Foi d'honnête homme!

Tel père, tel fils

◊ Ils n'ont pas réveillonné pour Noël, ils ne réveillonneront pas pour le jour de l'an. Charpentier célibataire, âgé de trente-trois ans, drogué à l'alcool, il rentre pour dîner après être resté plus longtemps que d'habitude dans l'établissement de son pourvoyeur habituel. La mère et la frère cadet se sont mis à table. Il a trente ans, le cadet. De quoi, hurle le retardataire, voilà que les petits frères commencent à manger sans attendre l'aîné, maintenant? Et il saute sur son frère. Lequel prend le fusil et le frappe à coups de crosse sur la tête. Il le frappe si bien que la crosse se casse et que ◊ l'autre s'évanouit. Sauvons-nous avant qu'il se réveille, dit la mère. Les voici qui s'enfuient. Ils se cachent sur le chemin. Le frère apparaît sur le seuil, tenant le fusil cassé à la main. Il découvre sa mère. La frappe avec le fusil. La tue. Le cadet est resté pétrifié. Il y a huit ans, c'était son père qui frappait la mère. A coups de hache, lui. Même que le père, croyant l'avoir tuée, s'était jeté sous le train. C'est depuis ce jour-là que l'aîné était devenue chef de famille. Il est en prison, le chef de famille. Y'a plus de famille. A bas les chefs!

Delfeil de Ton, **Le Nouvel Observateur**

réveillonner to celebrate, to see the new
 year in
crosse butt (of a gun)

Confession d'un professeur

Il paraît qu'une fois vous vous êtes cassé le bras en essayant de
◊ donner une gifle à un élève. Est-ce que c'est vrai?
   — Hélas! Vous m'en voyez bien confus!
   Oui, oui, ça m'est arrivé.
J'avais passé un matin de grisailles et de mauvaise humeur sans
doute et j'avais quelques reproches à adresser à un élève
paresseux et, autant qu'il m'en souvienne, quelque peu
dissimulateur. Je l'avais appelé dans le couloir et, irrité de sa
paresse, je lui faisais la leçon et pour qu'elle portât davantage sans
doute le voyant partir devant moi, je lui ai mis mon pied au derrière!
J'ai glissé sur le carrelage trop bien entretenu. Dans ma chute
maladroite je me suis cassé le bras. Ce qui a fait dire à toutes les
bonnes langues de l'établissement que je m'étais cassé le bras en
donnant une gifle. Ce n'est pas tout à fait exact. J'ai rétabli la
vérité! En tout cas, j'ai été bien puni de ma violence et la leçon a
servi, croyez-moi! Je n'ai pas récividé.
   — Et quelle était la réaction de l'élève?
   — La réaction de l'élève était touchante. Il était très malheureux
de l'incident fâcheux qui avait succédé à la scène et j'ai
l'impression qu'il était plus ennuyé et qu'il avait presque plus mal
que moi!

Transcript of interview with teacher

gifle slap

Newspapers and magazines

Below are some of the newspaper and magazine sources from which articles in this book are taken. These notes are intended only as a general guideline to the style and content of the magazine or newspaper in question: they should not be regarded as a definitive survey or as an evaluation of the relative merits of the various sources.

National newspapers

Le Monde An evening daily paper, left of the political centre, with detailed comments and analyses on all events of French domestic policy and international politics. Because of the quality of its reports and the varieties of its specialist contributors, it is one of the most influential organs in political circles.

Le Figaro A morning daily paper, aimed chiefly at the conservative and liberal reader. A moderate, respected paper, it presents leaders, columns and commentaries under famous signatures and gives an important place to foreign news.

Regional and other newspapers

Le Méridional One of the two important Marseille newspapers which is an independent news daily covering the départements of Bouches-du-Rhône, Var, Vaucluse, Gard, Basses Alpes and Hérault.

Nice-Matin A daily independent newspaper covering the Côte d'Azur, both along the coast and inland, and also Corsica.

Le Midi Libre Published daily in Montpellier, this newspaper has no real political affiliation, and sells mainly in the départements of Hérault, Gard, Aude and Aveyron. A competitor of *Le Méridional*.

Anti-rouille A radical weekly paper with a small circulation, aimed at young readers of student age.

Magazines

Le Nouvel Observateur A weekly general magazine with a distinct left-wing tendency.

La Vie A leading Catholic general magazine published weekly.

Paris-Match The most important French general magazine published weekly – its political commentaries are much read and respected.

Elle A large circulation women's magazine, published weekly.

Marie-Claire A popular women's magazine, published monthly by the group which controls *Paris-Match*.

Télérama A leading weekly radio and television magazine.

Le Point A weekly general news magazine, published by Honeywell, the computer and electronics group.

Summary of topics

This summary does not include advertisements or cartoons

1 Heureux celui qui voyage!
SNCF railway guide 13
Road accidents 14
Extract from *La Chute*, Camus 16
Advice to women drivers 18
Courtesy on the roads 18
Free biking experiment in La
 Rochelle 20

2 Vacances, sports, loisirs
Looking forward to summer
 holidays 21
Effect of economic crisis on family
 holidays 22
Camping site rules 23
Interview with international skier 24
The game of rugby football 24
Football results and reports 26
Alcohol on the terraces 27
Wimbledon 27
Survey on cinema going 32
Survey on television viewing 32

3 À table
The history of meat eating 34
Cheaper cuts of meat 34
History of the refrigerator 35
White bread 36
The price of the *baguette* 37
Report on Parisian restaurant 38
Barbecue meals 39
L'Addition, Prévert 40

Recipe 42
The selection and cooking of
 game 43
How to choose fruit and
 vegetables 44
Gastronomic propaganda for La
 Bourgogne 46
The history of wine 47

4 À votre santé
The dangers of alcohol 49
Extract from *Knock*, Jules
 Romains 50
Tap or boiled water? 52
Questionnaire on why people smoke
 tobacco 54
Low calorie diet 58
Remedy for liver complaints 60
Advice to mothers on children's
 sleep 61

5 On peut choisir ses amis ...
Announcement of birth 62
Sexist from birth? 62
Parental tenderness 63
Mother talking to her young child 64
Extracts from problem page 65
The rights of a common law wife 69
Old people in Paris 70
Poster comment on old age 71

6 Les femmes de France
24 hours in a woman's life 72